Aus Freude am Lesen

Ein geheimnisvolles arabisches Manuskript im ICE Berlin-München, das niemandem zu gehören scheint und worin acht Mal auf verschiedene Weise die Lebensgeschichte desjenigen erzählt wird, der es zufällig findet und liest.

Dieses Romandebüt handelt von der Flucht eines jungen Irakers, der unter Saddam Hussein im Gefängnis saß und vor Krieg und Unterdrückung flieht, sich in mehreren Ländern als Hauslehrer, Gelegenheitsarbeiter, Kellner durchschlägt; der vom Unglück verfolgt scheint und doch immer wieder auf wundersame Weise gerettet wird.

Abbas Khider beeindruckt durch seinen ungeschönten Blick und die Beiläufigkeit, mit der er vom Elend wie von Wundern erzählt.

ABBAS KHIDER, geboren 1973 in Bagdad, floh 1996 nach einer Verurteilung aus »politischen Gründen« und nach einer zweijährigen Gefängnisstrafe aus dem Irak. Von 1996 bis 1999 hielt er sich als illegaler Flüchtling in verschiedenen Ländern auf, seit 2000 lebt er in Deutschland. Er studierte Philosophie und Literaturwissenschaft in München und Potsdam und erhielt verschiedene Stipendien. Für seinen Debütroman »Der falsche Inder« wurde er mit dem Adelbert-von-Chamisso-Förderpreis geehrt. Zurzeit lebt Abbas Khider in Berlin.

Abbas Khider

Der falsche Inder

Roman

btb

MIX
Papier aus verantwor-
tungsvollen Quellen
FSC
www.fsc.org   FSC® C083411

Verlagsgruppe Random House FSC® N001967
Das für dieses Buch verwendete
FSC®-zertifizierte Papier *Schleipen Werkdruck*
liefert Cordier, Deutschland.

2. Auflage
Genehmigte Taschenbuchausgabe August 2013,
btb Verlag in der Verlagsgruppe Random House GmbH, München
Copyright © Edition Nautilus Verlag Lutz Schulenburg,
Hamburg 2008
Umschlaggestaltung: © semper smile, München, nach einem
Umschlagentwurf von Maja Bechert, www.majabechert.de
Druck und Einband: CPI – Clausen & Bosse, Leck
LW · Herstellung: sc
Printed in Germany
ISBN 978-3-442-74460-2

www.btb-verlag.de
www.facebook.com / btbverlag
Besuchen Sie auch unseren LiteraturBlog www.transatlantik.de

Für die, die eine Sekunde vor dem Tod
noch von zwei Flügeln träumen.

I

Intercity Express 1511, Berlin–München, über Leipzig, Bamberg, Nürnberg, Ingolstadt. Planmäßige Abfahrt 12 Uhr 57.« Unangenehm blechern die Stimme aus dem Lautsprecher. Ein kurzer Blick auf die große Uhr am Bahnsteig: 12.30. Eine knappe halbe Stunde noch. Ich deponiere meine Zeitung und den Kaffee-zum-Mitnehmen auf der Bank. Noch ein langer Blick durch den Bahnhof Zoologischer Garten.

Alles leer. Für einen Moment das Gefühl, auf diesem Bahnhof mutterseelenallein zu sein. Die Menschen sind verschwunden, oder genauer, niemals da gewesen. Alles leer. Alles hell und sauber. Keine Züge, keine Reisenden, keine Lautsprecher. Nichts, nur ich und der leere Bahnhof Zoo, das große Nichts um mich herum. Wo bin ich eigentlich? Was mache ich hier? Wo sind die anderen? Solche Fragen wirbeln durch meinen Kopf wie Trommeln auf einem afrikanischen Fest. Alles leer wie eine endlose Wüste, nackte Berge oder klares Wasser. Aber auch unheimlich wie der Wald nach einem gewaltigen Gewitter. Und meine Fragen laut und dennoch leise, tönend und dennoch stimmlos.

Dieses Gefühl dauert ein paar Minuten an, oder waren es mehr als nur ein paar Minuten? Nicht das erste Mal, dass ich die Orientierung verloren habe. Seit einigen Jahren schon erlebe ich ab und zu diesen Wahnsinn. Manchmal habe ich Angst, dass ich eines Tages aus solch einer Wüste in meinem Kopf nicht mehr zurückkehre.

Gott sei Dank, die Bahnhofshalle ist noch da und auch die Sprüche an den Wänden: »Mein Spaßvogel ist in seinem Spaß verloren geflogen.« »Simone ist meine Maus.« Auch die Currywurst- und die Hotdogbude sind noch da, die Menschen …

12.40 Uhr. Noch einmal ein Blick über den Bahnhof, aber diesmal ohne Begleitung einer afrikanischen Trommel. Der Bahnsteig voll. Reisende steigen ein oder suchen einen Ausgang. Einige rennen, um den Anschlusszug nicht zu verpassen. Eine Gruppe halbnackter Mädchen und Jungs mit kurzen Hosen und Sonnen-Tops schlendert langsam mit ihren Rucksäcken den Bahnsteig entlang. Beinahe wie eine Schulklasse. Die Mädchen lachen und beleben den Bahnhof mit ihren hellen, lauten Stimmen. Der Gruppe voran ein paar ältere Leute. Wohl die Lehrer. Mit ernsten Gesichtern. Fast alle ziehen schwarze Koffer auf Rollen hinter sich her.

Überall auf dem Bahnhof Tauben. Sie haben sogar ihre Nester unter die Dachschräge der Bahnhofshalle gebaut. Eine männliche Taube verführt gerade eine weibliche. Das Männchen breitet seine Flügel aus, zieht sie hinter sich auf dem Boden her, schwänzelt um das Weibchen herum und flirtet mit ihm: »Bak, bak, bak, buk.« Das Weibchen stolziert vor ihm auf und ab wie eine Königin, mit hoch erhobenem Kopf. Mal bewegt es sich langsam, mal wieder schnell, was das Männchen besonders heißmacht. Nicht weit entfernt von der männlichen Taube versucht einer der Schuljungen, ein Mädchen anzumachen. Die so Umworbene lächelt, und er schwänzelt tapfer um sie herum. Sie marschiert geradewegs Richtung Ausgang, er blindlings hinterher. Einer der Lehrer schreit ihm nach: »Lukas, komm zurück!«

12.45 Uhr. Der Zug fährt ein. Ich finde schnell meinen reservierten Platz im Raucherabteil. Verstaue den Rucksack zwischen den Füßen. Lege ein Heft, ein Buch, eine Schachtel Zigaretten und ein Feuerzeug auf den Tisch und zünde mir eine Zigarette an …

13.02 Uhr. Der Zug setzt sich etwas verspätet in Bewegung. Ich bemerke auf dem Nebensitz einen großen, dicken Um-

8

schlag. Anscheinend ein ganzer Stapel Blätter darin. Außen in schnörkeliger Handschrift auf Arabisch: »Erinnerungen«. Mein Platznachbar ist wahrscheinlich kurz auf der Toilette oder im Bordrestaurant. Bestimmt kommt er bald wieder zurück. Ich freue mich schon auf einen arabischen Gesprächspartner. Unter Umständen sogar ein Poet, oder zumindest jemand, der sich fürs Lesen und Schreiben interessiert.

13.30 Uhr. Der Nachbar ist immer noch nicht da. Der kommt sicher bald. Wird seinen Umschlag doch nicht ewig hier liegen lassen. Wo mag er wohl herkommen? Es gibt so viele arabische Staaten. Hoffentlich aus einem Land, das ich gut kenne. Dann haben wir sicher viel zu plaudern.

14.16 Uhr. Der Zug erreicht die nächste Haltestelle. »Nächster Halt Leipzig«, leiert die Stimme aus dem Lautsprecher. Der Umschlag liegt immer noch da. Ein paar Leute steigen aus, andere ein. Ein Mädchen setzt sich mir gegenüber. Den Kopfhörer übergezogen, genießt sie den Lärm ihres MP3-Players. Ein Junge hockt sich neben sie und schaltet sein Notebook ein. Eine Dame mit kurzem, blondem Haar, das Handy am Ohr, schickt sich an, direkt an meiner Seite Platz zu nehmen. Sie greift nach dem Umschlag, schaut mir vorwurfsvoll ins Gesicht, legt mir den Umschlag auf den Schoß, lässt sich lässig in den Sitz fallen und telefoniert in aller Seelenruhe weiter.

Was sollte denn das? So eine Gans! Dieses rücksichtslose Verhalten mancher Leute ist einfach einzigartig. Soll ich ihr sagen, dass mir der Umschlag nicht gehört? Gott! Sie telefoniert immer noch! Sie ist wohl so um die fünfzig. Sieht aus wie viele Damen in diesem Land. Ein Anflug von Lippenstift, Rock, Bluse, eine winzige Minihandtasche, die eher zu einer Bienenkönigin zu passen scheint. Und schwarze, hochhackige Schuhe. Unberechenbar, solche Frauen. Besser ruhig Blut …

14.20 Uhr. Der Zug fährt langsam an. Ich nehme den Umschlag vorsichtig in die Hand, verlasse das Abteil und suche das

Zugcafé. Die hübsche junge Kellnerin serviert mir rasch einen großen Kaffee. Vor mir auf dem kleinen Tisch der Umschlag. Eine schwierige Entscheidung. Soll ich ihn als Fundstück beim Zugpersonal abgeben? Aber meine Neugier ist einfach zu groß. Ich beschließe, den Umschlag zu öffnen und zu lesen, bevor ich ihn eventuell weitergebe.

Durch das Fenster des Zugs leuchtet das Flaschengrün der Landschaft in der Sonne. Ich schlürfe langsam meinen Kaffee. Zünde mir eine Zigarette an. Mustere die Kellnerin. Sie ist jung, zwischen achtzehn und zwanzig. Die Haare rot gefärbt, trägt sie die blaue Jacke der Deutschen Bahn, darunter eine Jeans und ein weißes T-Shirt mit der Aufschrift »Sexy Girl«. Unter dem Schriftzug zeichnet sich ein kleiner, fester Busen ab.

Ich nehme meinen Kaffee und den Umschlag und gehe wieder zurück zu meinem Platz im Abteil, wo die Dame immer noch telefoniert, der Junge immer noch auf seinem Notebook herumhackt und das Mädchen sich immer noch von seiner MP3-Musik berieseln lässt.

14.45 Uhr. Der Zug fährt weiter.

Ich mache den Umschlag auf.

Rasul Hamid

Erinnerungen

»Es gibt nur zwei Dinge: die Leere
und das gezeichnete Ich.«
Gottfried Benn

Maskiert oder definiert

1
Der falsche Inder

Als Kalif Al-Mansur im Jahr 762 auf der Suche nach Ruhe und Erholung durch die unendlichen Weiten des Orients zog, erblickte er plötzlich vor sich eine idyllisch an zwei Flüssen liegende Landschaft. Ohne zu zögern befahl er seinen Soldaten, um dieses Stück Land herum einen großen Graben auszuheben, mit Holz zu füllen und in der Abenddämmerung ein Feuer anzuzünden. Als es auflöderte, schaute er von einem nahe gelegenen Hügel herab und verkündete: »Hier soll meine Stadt errichtet werden.« Und er gab ihr den Namen Madinat-A'Salam – Stadt des Friedens, die man heute als Bagdad kennt. Seitdem erlebte die Stadt des Friedens keinen Frieden mehr. Wieder und wieder steht ein anderer Herrscher auf dem Hügel und schaut zu, wie sie brennt.

In diesem Feuer, in dieser Stadt bin ich geboren, und möglicherweise hat meine Haut deswegen diese Farbe, die an Kaffee erinnert. Ich wurde sozusagen wie ein Hammel gut über dem Feuer durchgegrillt. Die Gespenster des Feuers waren für mich ständig anwesend, denn mein ganzes Leben hindurch sah ich die Stadt immer wieder brennen. Ein Krieg umarmt den anderen, eine Katastrophe jagt die andere. Jedes Mal brannten Bagdad oder Himmel und Erde im ganzen Irak: 1980 bis 1988 im ersten Golfkrieg, 1988 bis 1989 im Krieg des Al-Baath-Regimes gegen die irakischen Kurden, im zweiten Golfkrieg 1991, im selben Jahr im irakischen Aufstand, 2003 im dritten Golfkrieg und jeweils dazwischen in Hunderten von kleinen Bränden, Kämpfen, Aufständen und Scharmützeln. Das Feuer ist das Schicksal dieses Landes, gegen das selbst die Wasser der beiden großen Flüsse Euphrat und Tigris machtlos sind.

Auch die Sonne Bagdads ist mit den Feuergespenstern befreundet. Im Sommer will sie nicht untergehen. Gewaltig wälzt sie sich durch Bagdad, als sei sie eine Kutsche aus Eisen und Feuer, zerreißt das Gesicht des Horizonts und schiebt sich ziellos durch die Straßen und Häuser. Möglicherweise ist diese unbarmherzige Sonne der Grund für mein verbranntes und staubiges Aussehen. Doch mein Geburtstag ist der 3. März und somit weit entfernt vom bis zu fünfzig Grad heißen Bagdader Sommer. Daher glaube ich, dass eher die Hitze der Küche die Schuld an meiner dunklen Farbe trägt. Wenn ich meiner Mutter – wie sie selbst immer behauptete – tatsächlich in der Küche aus dem Bauch gefallen sein sollte, muss ich wohl schon als Neugeborener viele Stunden dort verbracht haben, unmittelbar neben dem Gasherd, wo oft schwarze Bohnen und Auberginen gekocht wurden. Ich vermute auch, dass der Steinofen, in dem meine Mutter unser Brot buk, das Seinige dazu beigetragen hat. Wie gern schaute ich doch, als ich noch klein war, meiner Mutter dabei zu, wie sie das fertige Brot aus dem Ofen holte und die frischen Fladen in einen großen Teller aus Palmblättern warf, der neben ihren Füßen stand. Jedes Mal schlich ich mich wieder an das heiße Brot heran. Jedes Mal wieder verspürte ich den zwanghaften Drang es anzufassen, um gleich darauf loszuheulen, weil ich mir wieder die Finger verbrannt hatte. Und jedes Mal wieder blieb ich ganz nah an diesem faszinierenden Steinofenfeuer sitzen.

Somit habe ich mehrere mögliche Erklärungen für meine dunkle Hautfarbe: Das Feuer der Herrscher und die Bagdader Sonne, die Hitze der Küche und die Glut des Steinofens. Sie sind entscheidend dafür, dass ich mit brauner Haut, tiefschwarzen Haaren und dunklen Augen durchs Leben gehe.

Wenn aber wirklich diese vier Faktoren die Ursache für mein Äußeres darstellen, müssten dann nicht auch die meisten anderen Bewohner des Zweistromlands ähnlich aussehen? Bei *passt vom aussehen nicht ein*

vielen ist das auch so, aber ich sehe so anders aus, dass man
an meiner irakischen Herkunft zweifelte. In Bagdad sprachen
mich mehrere Male die Fahrkartenverkäufer im Bus auf Englisch
an. Dann lachte ich meistens und antwortete in südirakischer
Umgangssprache, woraufhin sie mich verdutzt anstarrten, als
wäre ich ein Geist. Dasselbe widerfuhr mir hin und wieder bei
Polizeikontrollen. Jedes Mal musste ich lange Listen von Fragen beantworten, Fragen wie: Was isst ein Iraker gern? Welche
Kinderlieder singen die Iraker? Nennen Sie einige Namen
der bekannten irakischen Stämme! Erst wenn ich alles richtig
beantwortet hatte und meine irakische Herkunft als erwiesen
angesehen wurde, durfte ich wieder meiner Wege gehen. Die
Jungen meines Viertels riefen mich »Indianer«, weil ich aussah
wie die Indianer in amerikanischen Cowboy-Filmen. In der
Mittelschule nannten mich die Arabischlehrerin und meine
Mitschüler den »Inder« oder »Amitabh Bachchan«, nach einem
bekannten indischen Schauspieler, dem ich tatsächlich ein bisschen ähnlich sehe: ein langer, dünner, brauner Kerl.

Mein Vater war der Einzige, der eine völlig andere Erklärung
für mein Aussehen parat hatte. Er behauptete etwas ganz Aufre-
gendes. Eines Tages, ich muss ungefähr fünfzehn gewesen sein,
nahm er mich beiseite: »Mein Sohn!«, sagte er, »deine richtige
Mutter ist eine Zigeunerin. Deswegen siehst du auch nicht so aus
wie deine Brüder!« Er erzählte nur wenig, aber soviel ich verstand, war er vor geraumer Zeit mit einer Zigeunerin zusammen
gewesen. Es war nur eine Affäre. Sie hieß Selwa. »Sie war eine der
schönsten Frauen der Welt!«, behauptete er stolz. »Wenn sich
ein Schmetterling auf ihrem Körper niedergelassen hätte, wäre
er auf Grund ihrer Schönheit verwelkt.« Die Geschichte begann
in Bagdad, im Viertel Al-Kamaliya, das in der Nähe des unseren
lag. Sie war eine Tänzerin und eine Frau der Nacht. Und mein
Vater war ihr bester Kunde. Sie hatte ihn geliebt und wollte ein
Kind von ihm, und sie bekam es. Mein Vater aber wollte nicht,

dass eine Zigeunerin die Mutter eines seiner Kinder wäre. Also beschloss er zusammen mit den Männern unseres Stammes, sie und ihre ganze Familie aus unserem Bezirk zu vertreiben und ihr das Baby wegzunehmen. Gesagt, getan! Ich wurde in den Stamm aufgenommen, und die Zigeuner wurden verjagt. Später ging das Gerücht, die Zigeunerin sei mit ihrer Sippe in den Nordirak gezogen, habe dann aber ihre Familie verlassen, um allein in die Türkei und weiter nach Griechenland auszuwandern. Sie habe dort in einem Tanzklub bei einem Ägypter gearbeitet, bis sie sich schließlich umbrachte. Meine Stiefmutter sprach nie darüber. Sie erzog mich, als ob ich ihr eigenes Kind gewesen wäre.

Das Lustige an dieser Geschichte aber ist, dass meine beiden Mütter denselben Namen tragen: Meine Zigeunermutter hieß Selwa und meine Nicht-Zigeunermutter heißt auch Selwa. Meine Nicht-Zigeuner-Selwa behauptete, mein Vater sei ein Lügner und ich ihr leibliches Kind. Einmal brachte sie sogar eine alte Dame zu uns nach Hause, die bezeugte, sie sei bei meiner Geburt dabei gewesen. Sie schwor bei allen Heiligen, ich sei tatsächlich von meiner Nicht-Zigeuner-Selwa in der Küche geboren worden. Die Zigeunergeschichte hörte ich nur von meinem Vater. Ich bin sogar einmal ins Al-Kamaliya-Viertel gegangen, das man auch das »Viertel der Huren und Zuhälter« nannte und in dem es tatsächlich jede Menge Freudenhäuser gab. Ich fragte dort nach der Zigeunerin Selwa und ihren Leuten, aber niemand hatte auch nur die leiseste Ahnung. Und darum bezweifle ich, dass an dieser Geschichte überhaupt etwas dran ist. Ich vermute, mein Vater wollte mich damit nur bestrafen, weil ich ihn nicht ausstehen konnte.

Aber ich empfand diese Geschichte gar nicht als Strafe. Wieso sollte ich? Was war denn schon Schlimmes an den Zigeunern? Schöne Frauen, voller Feuer und Leidenschaft, die von allen Männern begehrt werden. Früher, als ich noch ein Kind war, prügelten sich die Jungen darum, sie anschauen zu dürfen, wenn sie mit ihren spärlichen bunten Kleidern halbnackt auf Hochzeiten und Festen tanzten. Ich erinnere mich, wie alle Männer sie mit hungrigen, verklärten Augen verschlangen. Auch die männlichen Zigeuner waren so hübsch, dass sich die Männer unseres Viertels genötigt sahen, die Haustüren abzusperren, damit ihre Frauen die Zigeunermänner nicht anlächeln konnten. Ich glaube, immer, wenn die Zigeuner auf einer Hochzeit bei uns gewesen waren, schwelgten die Frauen unseres Viertels noch wochenlang in der Erinnerung an diese schwarzen Haare, die tiefen, großen Stieraugen, die harten Muskeln und braunen Körper, die unter dem gleißenden Scheinwerferlicht der Hochzeitsfeier vor Schweiß glänzten; und sie wünschten sich, sie des Nachts heimlich unter ihrer Bettdecke zu spüren, während sie mit den Händen diese unerfüllte Sehnsucht zu stillen suchten. Und bei den Männern wird es kaum anders gewesen sein, wenn sie an diese vor Temperament strotzenden Zigeunerfrauen dachten.

Ich war tatsächlich einer der schönsten Jungen unseres Viertels. Möglicherweise hatte ich meine Schönheit von meiner Zigeunermutter geerbt. Und möglicherweise auch meine Hautfarbe, meine langen, dunklen, lockigen Haare und meine großen schwarzen und sanften Augen. Schließlich liebte ich die Zigeuner und ihre Lieder. In meiner Hosentasche steckte sogar lange Zeit das Bild einer tanzenden Zigeunerin. Trotzdem entschied ich mich, meine Nicht-Zigeunermutter als meine »richtige Mutter« anzunehmen. Sie war mein Schutzengel. Mich liebte sie mehr als alle meine Geschwister, ihre leiblichen Kinder.

Die Frage, ob die Zigeuner tatsächlich aus Indien stammen, wie einige Wissenschaftler behaupten, interessierte mich schon immer brennend. Ich hoffte insgeheim, diese These sei wahr. Dann nämlich könnte ich mich selbst als indisch-irakischen Zigeuner aus der Taufe heben. Und Schluss mit den Existenzfragen! Wenn nicht, dann müsste es eine andere konkrete

17

Beziehung zwischen mir und Indien geben, denn das Land hat mich pausenlos verfolgt und immer eine große Rolle in meinem Leben gespielt.

Als die Schiiten nach dem zweiten Golfkrieg im März 1991 gegen das Regime revoltierten, behauptete die irakische Regierung in ihrer Presse, diese seien gar keine echten Iraker, sondern indische Einwanderer. Im achtzehnten Jahrhundert seien sie in den Irak gekommen und geblieben. Das Problem war, dass diese These von allen namhaften Historikern abgelehnt wurde, weil es keinerlei wissenschaftliche Hinweise dafür zu geben schien. Aber sie kannten ja auch mich nicht, den lebenden Beweis dafür, dass die Schiiten vielleicht doch aus Indien gekommen sein könnten.

In den ersten Jahren meines dritten Lebensjahrzehnts floh ich vor dem unendlichen Feuer der Herrscher und vor der erbarmungslosen Bagdader Sonne. Mein Weg führte mich durch verschiedene Länder. Ich lebte einige Zeit in Afrika, hauptsächlich in Libyen, so dass sich viele Wörter der libyschen Umgangssprache mit meinen irakischen vermischten. Und das brachte auch schon das nächste Problem mit sich: Ich hielt mich eine Weile in Tripolis auf, wo ich einige Iraker in einem Café an der Strandpromenade traf. Als ich mich vorstellte, erwiderten sie empört: »Du willst uns wohl für dumm verkaufen? Du bist kein Iraker! Dein Aussehen passt nicht und deine Art zu reden auch nicht!« Als ich dann später nach Tunesien kam, war das ganz anders. In der Hauptstadt merkte ich vom ersten Tag an, dass mir die Frauen folgten wie Fliegen dem Marmeladenbrot. Im Zentrum, in der Bourguiba-Straße, schauten mir eine Menge Mädels kokett nach und riefen sich ungeniert zu: »Hey, schaut euch diesen hübschen Inder an!« Einen Monat lang hatte ich mit den schönsten Frauen in den Straßen von Tunis einen Riesenspaß. Ich gab mich als indischer Tourist aus, der einen Stadtführer suchte. So kam ich auch für eine Weile zu einer kurzen Liebe. Sie hieß Iman und betrachtete meine Haare als das achte Weltwunder.

In Afrika hatte niemand ein Problem mit meinem Aussehen. Ich war nicht blond, und die Kinder kreisten nicht um mich herum und klatschten, wie bei europäischen Touristen. In Afrika war meine Hautfarbe ein Vorteil. Im Vergleich zu den Einheimischen betrachteten mich einige sogar als Weißen. Doch alles andere, das ganze Leben an sich, das war überhaupt nicht einfach, weshalb ich bald an eine große Reise Richtung Europa dachte. Die war jedoch nur auf illegalen Wegen möglich.

In Europa aber brachte mir mein Aussehen wieder mehr Schwierigkeiten ein. Es fing in Athen an. Zunächst hatte ich dort glücklicherweise noch keine großen Probleme. Ich musste kaum Angst haben, von der Polizei festgenommen zu werden. Es gab so viele Flüchtlinge im Land, dass man eine Unzahl von Gefängnissen benötigt hätte, um alle einzusperren. Trotzdem sammelte die Polizei ab und zu einige von ihnen ein, wohl um wenigstens den Anschein zu erwecken, das Flüchtlingsproblem in den Griff bekommen zu wollen. Einmal hatten sie dabei auch mich erwischt. Ich hockte ein paar Tage im Gefängnis, bis sie für mich einen Flüchtlingsausweis ausgestellt hatten.

Doch am letzten Tag passierte etwas Tragisches: Ich musste aufs Klo. Ein Polizist begleitete mich dorthin. Als ich den Toilettenraum wieder verlassen wollte, versperrte er mir den Weg und begann, voller Wut auf mich einzudreschen. Ich begriff nicht, was los war, und fing aus Leibeskräften an zu schreien. Von diesem Lärm angezogen, rannten ein paar andere Polizisten herbei und retteten mich vor den Schlägen meines wild gewordenen Begleiters. Einige schimpften und stritten mit ihm. Es war ein Geschrei nach griechischer Art. Ich verstand zwar kein Wort, vermutete aber, sie seien zornig auf ihn, weil er auf mich losgegangen war. Plötzlich kauerte sich der wütende Polizist, der mich verprügelt hatte, auf den Boden, begann sich selbst ins Gesicht zu schlagen und wie ein Schlosshund zu heulen. Mir kam das alles absurd vor, und ich konnte mir keinen Reim darauf machen. Ein blonder Polizist brachte mich in meine Zelle zurück. Dort saß ich nun, fertig mit der Welt und maßlos enttäuscht und traurig. Ich konnte nicht glauben, dass man auch in Europa grundlos von der Polizei getreten und geschlagen wurde. Das hätte ich mir nie vorstellen können. Was für eine böse Überraschung! Am Abend öffnete sich die Tür, und ein Offizier in schmucker Uniform betrat meine Zelle. Er hatte massenweise Sterne und sonstige Abzeichen auf Brust und Schultern. Er sprach Englisch und erklärte, der wütende Polizist sei so außer sich geraten, weil er mich für einen pakistanischen Drogendealer gehalten habe, den die griechische Polizei seit längerer Zeit suchte. Der wütende Polizist habe seinen jüngeren Bruder verloren – Überdosis. Und weil er mich für diesen Drogendealer gehalten habe, sei die Wut in ihm hochgekommen, so dass er jegliche Kontrolle über sich verloren habe. Der Offizier zeigte mir das Foto des Dealers. Unglaublich! Das war wirklich kaum zu fassen! Er sah mir tatsächlich so ähnlich wie ein Ei dem anderen. Ich war selbst verwirrt.

Nach einer halben Stunde kehrte der inzwischen nicht mehr wütende Polizist zurück und zeigte mit dem Finger auf mich.

»Are you from Iraq?«

»Yes!«

»Sorry!«

Er schloss die Tür und ging. Nach fünfzehn Minuten kam ein anderer Polizist, gab mir einen Ausweis, begleitete mich zur Haupttür und sagte: »Go!«

Ich verließ Griechenland mitsamt seiner Polizei und floh nach Deutschland. Aber in Deutschland ging es genauso weiter wie in Griechenland, nur auf andere Art und Weise. Aufgrund der übereifrigen Dienstbeflissenheit der deutschen Polizei nahm meine illegale Reise ein jähes Ende. Und zwar mitten in Bayern. Eigentlich wollte ich weiter nach Schweden. Ich hatte von vielen Flüchtlingen gehört, man bekäme in Schweden eine staatliche Unterstützung, damit man die schwedische Sprache lernen und weiter an der Universität studieren könne. So etwas gebe es in Deutschland nicht. Als ich mit der Bahn von München nach Hamburg wollte und von dort über Dänemark nach Schweden, hielt der Zug im Bahnhof einer kleinen Stadt namens Ansbach, wo zwei bayerische Polizisten einstiegen. Sie fragten keinen der vielen blonden Reisenden nach ihrem Ausweis, sondern kamen direkt zu mir. Lag es an meiner indischen Erscheinung?

»Passport!«

Ich: »No!«

Sie nahmen mich fest. Im Polizeirevier verursachte mein Aussehen wieder ein Drama. Die Beamten glaubten mir einfach nicht, dass ich ein Iraker sei. Sie hielten mich für einen Inder oder Pakistaner, der sich als Iraker ausgab, um sich eine Asylberechtigung zu erschleichen. Sozusagen ein Betrüger. Die Iraker hatten damals wegen der Diktatur in ihrer Heimat in Deutschland das Recht auf Asyl. Viele Bürger anderer Staaten aber nicht, wie zum Beispiel Inder oder Pakistaner. Es dauerte lange, bis ein Übersetzer und ein Nürnberger Richter zu mir kamen, um mich durch die verschiedensten Fragen zu testen. So wollten sie unter anderem von mir wissen, wie viele Kinos es im Bagdader Zentrum gäbe, und ich musste einige davon namentlich aufzählen. Die Antwort war für mich natürlich ein Kinderspiel, und meine irakische Herkunft konnte schnell bestätigt werden. Mein Ziel Schweden musste ich schließlich aber aufgeben. Die deutsche Polizei hatte meine Fingerabdrücke genommen und erklärte mir, diese würden nun an alle Asylländer weitergeleitet. Deshalb könne ich nun nirgendwo anders Asyl beantragen. Nur in Deutschland. Jeder Versuch, Deutschland zu verlassen, sei eine Straftat. Seitdem hocke ich also hier.

Wenn es nur bei solchen Dingen bliebe, wäre das Leben wirklich erträglich. Es kam aber viel schlimmer. Viele Leute hier hatten einfach nur Angst vor mir. Ja, Angst! Ich habe niemanden verprügelt, noch habe ich mich über Nacht der Al-Qaida oder gar der CIA angeschlossen. Es begann mit dem 11. September 2001. Den in Europa lebenden Arabern verging nach diesem Tag das Lachen. Die Medien sprachen über nichts anderes als die Bösen aus Arabien. In dieser heißen Zeit flog ich für ein paar Tage von München nach Berlin. Die alte Dame auf dem Nebensitz, deren Akzent man unschwer entnehmen konnte, dass sie aus Bayern stammte, lächelte mich an:

»Sind Sie Inder?«

Ebenfalls lächelnd antwortete ich:

»Nein, ich komme aus dem Irak.«

Das Lächeln auf ihren Lippen erstarrte und verwandelte sich in eine angstverzerrte Grimasse. Dann wandte sie hastig ihren Blick von mir ab. Die gesamte restliche Flugzeit klebte sie farb- und tonlos neben mir im Sitz. Es schien, als hätte sie gerade den Leibhaftigen gesehen. Ein weiterer Ton von mir, und sie hätte wohl augenblicklich einen Herzinfarkt erlitten!

Wenn ich mich nun daran zurückerinnere, welche Namen man mir zwischen Ost und West wegen meines Aussehens nachgerufen hat, dann scheint das irgendwie alles mit Indien zu tun zu haben. Indien, wo ich in meinem ganzen Leben noch nie war und das ich überhaupt nicht kenne. Die Araber nannten mich den »irakischen Inder«, die Europäer nur »Inder«. Es ist sicherlich erträglich, Zigeuner, Iraker, Inder oder gar ein Außerirdischer zu sein, wieso auch nicht! Aber es ist unerträglich, dass ich bis heute nicht genau weiß, wer ich wirklich bin. Ich weiß nur, ich bin »von vielen Sonnen der Erde gebrannt und gesalzen«, wie meine bayerische Geliebte Sara immer behauptet, und ich glaube ihr.

Inzwischen ist mir aber eingefallen, dass es doch eine konkrete Beziehung zwischen mir und Indien geben könnte, nämlich meine Großmutter. Und das hat einen historischen Hintergrund: Als die Engländer zu Beginn des zwanzigsten Jahrhunderts in den Irak kamen, waren sie gleichzeitig Besatzungsmacht in Indien. Demzufolge brachten sie eine Menge indischer Soldaten mit, die im Süden unseres Landes mit seinen ausgedehnten Palmenwäldern ihr Lager aufschlugen. Wer weiß, vielleicht ist meine aus dem Südirak stammende Großmutter einst einem solchen Soldaten im Wald begegnet. Und demzufolge bin ich vielleicht das Produkt der Vereinigung zweier englischer Kolonien.

2

Schreiben und Verlieren

In meiner Familie gab es keinen Schriftsteller. Man konnte nicht einmal ein vernünftiges Buch finden, mit Ausnahme des Korans und des Jahresberichts der Regierung. Verwunderlicherweise stieß ich trotzdem irgendwann auf einen Stapel Bücher. Es war die Bibliothek meines Schwagers Sadiq. Ich war damals noch sehr jung, als er zu uns kam und um die Hand meiner Schwester Karima anhielt. Er heiratete meine Schwester und ich seine Bücher. Sadiq war Dozent für Literatur an der Universität Bagdad, Literaturkritiker und ein wahrhaftiger Bücherwurm. Das erste Buch, das ich nicht für die Schule las, hatte er mir empfohlen und ausgeliehen. Es war eine Übersetzung aus dem Russischen: Ausgewählte Gedichte von Rasul Gamzatov. Nachdem ich es gelesen hatte, packte mich sofort der Vogel, der Büchervogel. Ich las wie besessen. Hauptsächlich Lyrik. Und eines Tages kam ich auf die Idee, selbst Gedichte zu schreiben. Das erste widmete ich meiner Nachbarin Fatima. Ich war verrückt nach ihr. Sie aber wusste nichts davon. Sie war sehr hübsch und hätte jede Menge Männer haben können. Mir aber schenkte sie keinerlei Beachtung. Deswegen hieß mein erstes Gedicht: »Seufzen«. Und so kam ich zum Schreiben. Damals verfasste ich Gedichte in rauen Mengen. Später fing ich an, Geschichten zu lesen und zu schreiben. Die Lyrik aber hat mich tiefer berührt, ich nannte sie damals die »Lunge des Lebens, die mich ein- und ausatmen lässt«.

Seitdem schreibe ich fast täglich. Ich bin eine echte Schreibmaschine geworden. Aber über die Frage, wieso ich schreibe, habe ich lange Zeit nicht nachgedacht. Erst vor Kurzem: Das

Schreiben hatte immer etwas mit meinem Innenleben zu tun, das mich unaufhörlich dazu zwang. Dabei haben sich drei Phasen ergeben, die mir jedoch gar nicht bewusst waren. Am Anfang schrieb ich und dachte, durch dieses Schreiben könne ich meine Gefühle in Worte fassen. Wie eine Art Blitzableiter, der mich vor seelischen Niederlagen schützen sollte. Wenn mich ein Schicksalsschlag traf, schrieb ich und erfuhr so eine Erleichterung, als wären die Blitze, die meine Seele durchzuckten, auf das Papier abgeleitet worden. In der zweiten Phase glaubte ich, mit dem Schreiben die Welt verändern zu können. Genau wie ein Revolutionär, aber eben nicht mit der Waffe, sondern mit dem Bleistift. Daran glaubte ich wirklich sehr lange. Letztlich gelangte ich zu der Überzeugung, dass ich mich durch mein Schreiben selbst besser verstehen kann.

Wenn ich schreibe, sehe ich alles wie beim ersten Mal und versuche es genau nachzufühlen und neu zu begreifen. Ich bin nun Schüler und Lehrer zugleich. Ich unterrichte mich und lerne von mir. Und so kam ich auf die verrückte Idee, meine eigene Geschichte aufzuschreiben. Ich verriegelte fast täglich die Tür meines Zimmers, blendete die Außenwelt aus und tauchte in mich hinein, um jedes Mal ein weiteres verborgenes Stück meiner selbst an die Oberfläche zu ziehen. Ich entdeckte mich und die Welt neu und brachte diese Erkenntnis zu Papier. Ob das, was ich schreibe, das wahre Leben ist? Ich kann es nicht sagen.

Trotz meiner früheren Vielschreiberei habe ich es lange Zeit nicht geschafft, meine eigene Geschichte tatsächlich aufzuschreiben, mit den unzähligen Menschen, Städten, Kriegen, Aufständen, Toten, Frauen und Katastrophen in meinem Leben. Es lag nicht daran, dass ich lieber Poesie als Prosa schrieb. Nein. Auch Prosa schreibe ich durchaus mit Leidenschaft. Die Ursache war eine gänzlich andere. Mein fürchterlich schlechtes Gedächtnis.

Ich kann viele Dinge schnell vergessen. Das ist eine Fähigkeit, ich nenne sie: die »Gnade«. Ihretwegen bin ich noch da. Kaum auszudenken, wenn ich mich an alles genau erinnerte. Ich hätte meinem Leben längst ein Ende gesetzt. Glücklicherweise also verfüge ich über ein löchriges Gedächtnis. Die schlimmsten Ereignisse fallen plötzlich aus meiner Erinnerung und tauchen nie wieder auf. Dazu kommt noch eine andere Fähigkeit, eine andere Gnade: Wenn doch einmal etwas Fürchterliches am Rand meines Gedächtnisses kleben bleibt, kann ich es ganz und gar verschönern. All der klebrige Schmutz löst sich in Windeseile auf, und es bleiben nur schöne Bilder, oder besser gesagt, die verschönerten Bilder.

Der Preis für diese Gnade ist aber sehr hoch. Wenn ich über wahre Begebenheiten schreiben will, habe ich nicht nur Mühe, Städte oder Aussehen der Menschen darzustellen. Meinen Geschichten fehlt auch das, was Geschichten zu Geschichten macht: Raum, Zeit und Handlung. Denn ich vergesse nicht nur Namen und Aussehen, auch die Zeiten mischen sich oft in meinem Kopf, und am Ende kann ich das Jahr nur ungefähr schätzen. Und damit nicht genug, auch die Geschlossenheit der Handlungen und ihre Chronologie fallen völlig weg, und von den wahren Geschichten bleiben manchmal nur ungeordnete und diffuse Erzählfetzen übrig.

Das ist aber noch nicht alles. Meine Notizen, die eigentlich meine Erinnerungen stützen sollen, bergen eine Gefahr in sich: Ich fürchte mich, meinen Tagebüchern Wichtiges anzuvertrauen, seitdem ich um die Gefahr ihres Verlustes weiß. Ich schrieb und schreibe nur selten hinein und nenne sie deswegen meine »Monatsbücher«. Ein, höchstens zwei Mal im Monat ein Eintrag. Nicht etwa, weil ich nicht schreiben wollte, nein, weil es gar nicht so einfach war, dort hineinzuschreiben.

In Bagdad, wo ich geboren und aufgewachsen bin, musste ich alles verbergen. Unter Saddams Herrschaft konnte ein einziges Wort Grund genug sein, das Leben zu verlieren. Deswegen schrieb ich alle möglichen Dinge mit Symbolen auf. Ich entwickelte ein eigenes Alphabet, aus lateinischen und arabischen Buchstaben, Mustern und Zahlen, was außer mir kein Mensch entschlüsseln konnte.

Dieselbe Technik habe ich später, während meiner Flucht in den arabischen Ländern, angewandt, um die Polizeikontrollen zu überleben, die alles, aber auch wirklich alles durchsuchten. Für solche Notfälle hatte ich mein eigenes Alphabet etwas abgeändert und um südirakische Umgangssprache erweitert. So konnte ich die Namen von Präsidenten, ihre Grausamkeiten, ihre Schlächtereien, aber auch unbekannte Widerstandsaktionen notieren, ohne dass irgendeiner auch nur das Geringste hätte ahnen können.

Heute aber habe ich das Problem, dass ich mein eigenes, selbst erfundenes Alphabet kaum noch entziffern kann. Die Schlüssel zu meinen Symbolen sind durch die Löcher meines Gedächtnisses gefallen, und die Türen zu meinen damaligen Aufzeichnungen bleiben unwiderruflich verschlossen. Zu allem Überfluss sind etliche Seiten im Laufe der Jahre und der Flucht auch noch unleserlich geworden, denn ich hatte schon immer die Angewohnheit, mit Bleistift zu schreiben, was ich mir bis heute bewahrt habe.

Die Gedanken an verlorene Schriften kann ich verdrängen, doch meine Tagebücher sind vorhanden und erinnern mich immer wieder an den Verlust, der sich an den mit selbst erdachten Hieroglyphen beschriebenen Seiten genau abzählen lässt.

Eine andere Art von Verlust kam dazu: Manchmal glaube ich, meine Schreibergebnisse ähneln Zigeunerstämmen. Jedes Mal verlieren sie sich in einem Loch in dieser Erde. Eines Nachmittags kam ich nach Hause, wo mich das Schlimmste vom Schlimmsten erwartete. Mein Vater hatte beschlossen, Saddamist zu werden. Der Himmel vergoss Tränen. Das Haus meiner Familie war nicht weit von der Bushaltestelle entfernt.

Das Viertel Madinat-A'Thaura – Stadt der Revolution –, in dem ich geboren und aufgewachsen bin, lag ruhig da. Nur das Klopfen des Regens überall. Ein seltsames Wetter zog über dem Viertel auf. Der Platz gegenüber dem Haus, auf dem ein Esel wohnte und der mit leeren Öl- und Tomatenmarkdosen, zerbrochenen Schnapsflaschen, kaputten Autoreifen und verbogenen Fahrrädern übersät war, füllte sich mehr und mehr mit Wasser. Ein kleiner See, der sich so vor unserem Haus gebildet hatte, wurde auch von Bächen gespeist, die aus den Innenhöfen der Häuser nach außen flossen. Abwasser mit Fäkalien, Müllresten und verdorbenem Essen wurde wie von Geisterhand aus den Sickergruben nach oben gedrückt und blieb, zum Himmel stinkend, vor den Hauseingängen stehen. Normalerweise begrüßte mich meine Mutter jedes Mal mit einem leckeren Gericht, wenn ich spät nach Hause kam. Dieses Mal begrüßten mich aber meine Manuskripte und Bücher im Wasser vor dem Haus. Wie Leichen an der Front lagen sie da und schauten mich entsetzt an. Ich schaute hysterisch zurück wie jeder Iraker, bei dem sich in solchen Fällen Panik und Fassungslosigkeit unweigerlich vermischen.

Ich betrat das Haus. Meine Schwester sagte zu mir: »Das war Vater.«

Seitdem hatte ich ein äußerst getrübtes Verhältnis zu meinem Vater. Wir konnten uns nicht ertragen. Wir waren wie Fremde. Ich muss zugeben, dass ich nach diesem Vorfall ihm gegenüber sehr hartherzig war. Allein, ihn anschauen zu müssen, bereitete mir Übelkeit. Doch so erging es mir in letzter Zeit öfter, wenn ich mich selbst oder viele meiner Mitmenschen ansah. Wir alle waren zu Fantasiekreaturen mutiert. Oder wie hätte es sonst sein können, dass ein Staat das Lesen und Schreiben außerhalb von Schulen und Universitäten in kriminelle Handlungen verwandelte, so dass mein Vater es für angebracht hielt, meine Bücher und alles, was ich bisher geschrieben hatte, zu vernichten. Zum

Glück hatte ich alle verbotenen Bücher unter den Taubenkäfigen auf dem Dach versteckt. Mein Vater hatte also paradoxerweise nur die erlaubten Bücher vernichtet, die sich in meinem Zimmer befunden hatten. Aber wie hätte er das auch unterscheiden können, war er doch ein Analphabet, der nicht einmal seinen eigenen Namen schreiben konnte.

Um die Angst meines Vaters noch zu schüren, tauchte eines Tages der irakische Geheimdienst bei uns zu Hause auf. Anderthalb Jahre und genau vier Tage meines Lebens musste ich daraufhin im Gefängnis verbringen, weil ich irgendwo und irgendwann mit einigen Freunden, die mit verbotenen Parteien zusammenarbeiteten, schlecht über den Präsidenten und dessen Partei gesprochen und diesen Freunden beim Verteilen von Flugblättern geholfen hatte. Im Gefängnis gab es weder Blätter noch Stifte. Die Gefängniswärter hielten sie für gefährlich, denn immerhin hätte man einen Stift als Dolch benutzen oder mit seiner Hilfe subversive Nachrichten auf die Blätter schreiben können.

So musste ich wie alle Gefangenen an die Wände schreiben. Unsere Stifte waren kleine Steine. Ich habe viel auf diese Wände geschrieben. Hätten sie nur in meine Hosentasche gepasst, ich hätte sie glatt eingepackt und mitgenommen!

Doch auch das Schreiben auf die Gefängniswände brachte eine gewisse Gefahr mit sich. Die Gefängniswärter waren ständig damit beschäftigt, die Wände nach verbotenen Aufschriften abzusuchen. Das Zentralgefängnis, in dem ich einsaß, war voll von Mitgliedern islamischer Parteien, welche die Wände ebenfalls fleißig nutzten: zum Aufschreiben heiliger Verse aus dem Koran. Und wer hätte es schon gewagt, auch nur eine Zeile davon auszulöschen, um irgendetwas anderes hinzuschreiben. Er wäre schneller zum »Ungläubigen« geworden, als er hätte blinzeln können.

Und trotzdem kam der Tag, an dem ich auf sauberes, weißes

Papier schreiben sollte. Von einem Tag auf den anderen war ich krank geworden. Wegen der Feuchtigkeit im Gefängnis litten viele Häftlinge an den verschiedensten Hautkrankheiten. Ich bekam eine völlig neue Erscheinungsform, die meine Haut wie verbrannt aussehen ließ. Aus Angst vor einer möglichen Ansteckung ließen mich die Offiziere des Gefängnisses ins Militärkrankenhaus A'Rashid in Bagdad bringen. Dort, in der Abteilung für Gefangene, konnte ich den Aufseher überreden, mir leeres Papier und einen Stift zu besorgen. Eine ganze Woche lang blieb ich in diesem Krankenhaus und schrieb ununterbrochen. Schrieb, ohne zu denken. Womöglich das Beste, was ich im Leben je geschrieben habe. In solchen Situationen von großer Verwirrung und Trauer schreibt man immer etwas Besonderes. Nach einer Woche teilte mir der Gefängniswärter mit:

»Heute schicken wir dich ins Zentralgefängnis zurück.«

»Kann ich meine Blätter mitnehmen?«

»Das ist ausgeschlossen!«

»Bitte! Ich bitte Sie! Sie sehen aus wie ein Südiraker. Mein Vater kommt auch aus dem Süden. Bitte helfen Sie mir, bitte!«

»Gut, aber erzähl niemandem davon.«

»Versprochen!«

Er nahm alle meine Kleider an sich, auch meine Unterwäsche, öffnete vorsichtig einige Saumnähte und versteckte so die Blätter mit einem unglaublichen Geschick. Der Teufel selbst wäre nicht dahintergekommen, was da in meinen Kleidern verborgen war.

Als ich aus dem Gefängnis entlassen wurde, konnte ich es zunächst nicht glauben, wieder auf der Straße zu sein. Es hatte eine Amnestie der Regierung für alle politischen Gefangenen gegeben. Ich ging in denselben Kleidern nach Hause, in denen mich der Geheimdienst mitgenommen hatte. Unfassbar, dass ich meine Familie wiedersehen konnte und sie mich. Ich war überglücklich und zugleich verwirrt. Es fiel mir schwer, die Wirklichkeit zu begreifen. Alles kam mir vor wie ein Traum.

Meine Mutter gab mir einen sauberen Hausanzug. Erst nach Tagen fragte ich sie:

»Mama, wo sind meine Klamotten?«

»Welche Klamotten?«

»Na die, die ich anhatte, als ich heimkam.«

»Die waren voller Läuse und haben gestunken wie die Pest. Ich habe alle verbrannt.«

Ich war noch in Bagdad, als mich der nächste Verlust traf. Das Gefängnis hatte ich zwar hinter mir gelassen, aber es existierte immer noch tief in meiner Seele. Ja, das Leben außerhalb der Gefängnismauern war nicht viel anders als innerhalb. Ich hatte das Gefühl, dass es für mich kein Leben mehr gab. Bildete mir ein, alle seien gegen mich, würden mich ausspähen und wollten mich schnellstmöglich wieder loswerden. Konnte nachts kaum schlafen. Bis zum Morgengrauen hockte ich zusammengekauert auf dem Dach unseres Hauses und beobachtete die Straße mit Argusaugen, überzeugt davon, die Polizei hole mich noch einmal ab. Und wenn ich zufällig einmal schlafen konnte, wachte ich mitten in der Nacht schweißgebadet auf. »Nicht schlagen, ich hab nichts getan, bitte, lasst mich in Ruhe! Ich bin unschuldig!«

Meine Familie hatte Angst, ich würde verrückt. Ich war so besessen von diesem Albtraum, dass ich ihn unbedingt beenden wollte. Eines Nachts sperrte ich die Tür meines Zimmers zu, riss Bücher und Hefte aus den Regalen, warf sie auf einen Haufen und setzte mich selbst mitten hinein. Ich schüttete Petroleum darauf, zündete ein Streichholz an und ließ es fallen. Das Feuer bewegte sich rasch. Alles um mich herum wurde langsam zu Asche und Rauch. Es war ein so schönes Gefühl. Ich war frei. Flog mit jedem schwarzen Stückchen Papier davon. Und jede Rauchschwade trug mich mit sich. Plötzlich krachte es. Mein Bruder hatte die Tür eingetreten und zerrte mich vom Feuer weg. Tags darauf besorgte ich mir eine Weltkarte und beschloss, weit weg in ein anderes Land zu fliehen.

Und das gelang mir tatsächlich. Ich verbrachte ein paar Jahre in verschiedenen arabischen Ländern Asiens und Afrikas, bis endlich der Tag kam, an dem ich weiter konnte Richtung Europa. Auf diesem Weg traf mich der größte Verlust. An der Grenze zwischen der Türkei und Griechenland, auf der türkischen Seite, nahe der Stadt Edirne. Ich war zusammen mit ungefähr dreißig Flüchtlingen verschiedener Nationalitäten, Kurden, Turkmännern, Persern, Afghanen, Arabern, Afrikanern, Pakistanern und einem kurdischen Schlepper unterwegs. Wir machten eine kleine Pause auf einem Hügel. Auf einmal – wie aus dem Nichts gekommen – überraschte uns die Grenzpolizei. Überstürzt flohen wir in alle Himmelsrichtungen. Ich rannte dabei so hektisch, dass mir mein Rucksack aus der Hand fiel und den Abhang hinunterrollte. Ein Polizist, der ein echter Läufer war, nahm mich fest. Mit dem Kopf in Richtung Tal nickend, versuchte ich ihm begreiflich zu machen, dass mein Rucksack da unten war. Doch das schien ihn herzlich wenig zu interessieren. Anstelle einer Antwort hielt er mir seine Waffe unter die Nase und begann auf mich einzuprügeln. Als ich wieder zu mir kam, fand ich mich in einem türkischen Gefängnis wieder, und zwar ohne meinen Rucksack. Ich hatte einige Lebensmitteldosen darin, meine spärliche Fluchtkasse und ein Heft. Das hatte mir drei Jahre lang als Notizblock für meine dichterischen Ideen gedient – drei Jahre Lyrik zwischen Asien und Afrika. Welch ein Verlust! Manchmal glaube ich, dass alles, was ich heute schreibe, nichts anderes als das ist, was ich damals bereits geschrieben habe. So als schriebe ich all das Verlorene wieder neu.

In Deutschland fand meine Flucht ihr Ende. Seitdem lebe ich hauptsächlich in München. Auf dem Postweg erreichten mich zahlreiche meiner früheren Aufzeichnungen, die Freunde aus Asien, Afrika und Europa für mich aufbewahrt hatten. Um den weiteren unendlichen Verlusten Einhalt zu gebieten, beschloss ich, so viel wie möglich zu veröffentlichen. Seit meinem Aufenthalt in München haben sich auch meine Lese- und Schreibgewohnheiten verändert. Oft sitze ich in einem Café in der Stadt, um meine Entwürfe zu überarbeiten. So weit lief alles in ruhigen Bahnen, bis ich eines Nachmittags dachte, der Verlust springe mich erneut an. Wieder einmal saß ich in einem Schwabinger Café und hatte das Manuskript eines Gedichtbandes dabei. Auf dem Weg nach Hause blätterte ich es im Bus noch einmal durch und war zufrieden mit den Korrekturen, die ich vorgenommen hatte. Ich stieg aus und ging direkt nach Hause. In meinem WG-Zimmer hockte mein Mitbewohner am Computer.

»Und, Rasul, wie war die Arbeit?«

»Sehr gut!«

Ich setzte mich auf die Couch, um die Veränderungen und Feinheiten noch einmal anzuschauen. Öffnete meine Tasche und kramte darin herum. Verdammt! Ich musste es wohl im Bus verloren haben? Nein! Wie konnte es sein, dass mich nach all diesen tragischen Verlusten solch ein dummer und lächerlicher Verlust treffen sollte? Das durfte doch einfach nicht wahr sein!

Mein Freund blickte mich fragend an.

»Mit wem redest du?«

»Mit mir selber!«

»Was ist los?«

»Ich glaube, ich hab mein Manuskript im Bus verloren.«

»Hm …«

»Ja, heilige Scheiße!«

»Alle deine Korrekturen weg! Tut mir wirklich leid!«

»Es geht nicht um Korrekturen. Das ganze Manuskript … Es ist weg!«

Schelmisch schmunzelte er: »Hey, Mann! In welchem Jahrhundert lebst du? Wozu gibt es wohl die kleinen Maschinen mit den vielen Tasten?!«

»Wie? Welche Maschinen?«

»Du hast doch alles hier im Computer gespeichert. Reg dich ab, Mann!«

»Oh!«

Ich sprang auf, Mund und Augen sperrangelweit aufgerissen. Mein Freund machte rasch den Stuhl für mich frei. Ich klickte auf »Eigene Dateien«, »Ordner Rasul Hamid«, »Gedichtbände« … Und da war es: »Adamsbahnhof«.

Erleichtert grinste ich meinem Freund ins Gesicht und murmelte:

»Ich danke dir, Computer!«

3
Priestertöchter

Schon in meiner Jugend hatte ich eine Menge schlechter Gewohnheiten. Aber was heißt schon schlecht? Was dem einen als schlechte Gewohnheit gilt, kann ein anderer durchaus als gut und schön erachten. Jeder sieht das, was er sehen will oder eben nicht sehen will. Ich jedenfalls bin mit vielen seltsamen Gewohnheiten gesegnet: Ich rauche gern und außerordentlich viel, trinke Alkohol wie ein Loch, vorzugsweise Bier und Wodka, schaue leidenschaftlich gern und auffällig Frauen auf der Straße hinterher, hauptsächlich denen mit besonders prallen Hintern, lese und schreibe nur bei Nacht, schlafe am liebsten auf Sofas oder auf dem Fußboden, schleudere jedem ohne nachzudenken die Wahrheit ins Gesicht, was mir verständlicherweise schon eine Menge Feinde eingebracht hat.

Ich weiß nicht, wie oder warum ich zu diesen Gewohnheiten gekommen bin. Auch nicht, was meinen peinlichsten und zugleich einmaligen Tick anbelangt, nämlich den, Papier zu stehlen. Ich weiß nicht mehr genau, wann ich damit angefangen habe. Ich glaube, ich verdanke ihn einem Traum. Einem Traum, der mich verfolgt, seit ich denken kann. Ich befinde mich in einem altertümlichen Tempel, vermutlich tausend Jahre vor unserer Zeitrechnung, denn ihn schmücken babylonische, altägyptische und griechische Plastiken und Gemälde. Hinter einer Säule versteckt beobachte ich verstohlen die Tochter des Priesters und die Musen, wie sie mit entblößtem Busen vor der Opferstätte zu den Göttern beten. Ich betrachtete ihre Brüste, rund, klein und fest. Nach dem Gebet huschen sie lautlos nach draußen. In diesem Augenblick durchläuft mich ein Zittern wie ein Palmblatt im Gewitter. Ich schleiche mich zur Opferstätte, stibitze ein Blatt vom heiligen Papier des Tempels, setze mich vor dem Feuer auf den Boden und beginne darauf zu schreiben. Ich kann mich nicht mehr daran erinnern, was ich geschrieben habe. Aber ich weiß, dass ich von diesem Tag und diesem Traum an nur noch schreiben wollte. Und seit diesem Tag und diesem Traum lastet dieser unsägliche Papierdiebstahlfluch auf mir, der mich mein ganzes Leben begleitet hat.

Wenn ich mich recht erinnere, begann dieses Laster in Bagdad, mit Fatima, der Nachbarin. Sie hatte ein rundes Gesicht, langes, blondes Haar, der goldenen Sonne gleich, und zwei kleine Apfelbrüste. Meist trug sie helle, bunte Kleider, die mit Rosen- und Blumenmustern bedruckt waren. Immer, wenn sie nachmittags aufs Dach stieg, um Wäsche aufzuhängen, verfolgte ich sie mit gierigen Blicken. Ich wartete darauf, dass sie jedes Kleidungsstück einzeln an die Leine klammerte, darauf, dass sie bei jedem einzelnen Wäschestück ihre Arme hob, damit ich sehen konnte, wie sich ihr Busen auf und ab bewegte, wie der Busen der Tochter des Priesters. Fatima und ihr Busen erweckten in mir den Drang zu schreiben und trieben mich zum ersten Papierdiebstahl meines Lebens.

Ihretwegen stahl ich Papier von meinem Vater. Nicht dass er Schriftsteller gewesen wäre! Weit gefehlt! Er war ein einfacher Dattelverkäufer. Kaufte Papier nur, um darin die Datteln für seine Kunden einzuwickeln. Er bekam es von Angestellten der Stadtverwaltung, die aus ihrem Amt alte Behördenunterlagen mitgehen ließen und billig an meinen Vater und andere Händler verhökerten. Eigentlich müsste ich sagen, dass ich das Papier meiner Mutter gestohlen habe, denn in Wirklichkeit war sie es, die Datteln verkaufen musste, und nicht mein Vater. Der besorgte nur die Ware, und meine Mutter saß dann damit stundenlang auf dem Basar mit dem witzigen Namen Suq-Al-Aora – Einäugigen-Basar, nur einige Meter entfernt von unserem

Haus. Sie arbeitete den ganzen Tag und kehrte abends müde und abgespannt zurück. Ihre Kleider waren immer klebrig und schmutzig, während sich mein Vater den ganzen Tag im Café des Basars herumtrieb, mit schönen, sauberen Kleidern, und abends nach Hause zurückkehrte, um meiner Mutter die Tageseinnahmen abzunehmen. Aber weil er der Mann war, nannte man das Geschäft »Geschäft von Hamid« und nicht »Geschäft von Selwa«.

Ich stahl also das Papier aus dem Geschäft meiner Eltern, um darauf zu schreiben, sobald mir das Zittern kam. Immer dann, wenn ich Fatima auf dem Dach erblickte. In dieser Zeit schrieb ich die ersten Zeilen meines Lebens auf die weiße Rückseite von Papier, das aus gestohlenen Staatsbeständen stammte.

Fatima aber wusste nichts davon und blieb für mich vollkommen unerreichbar. Sie war ein hübsches, blondes Mädchen, und ich fühlte genau das, was wohl auch der altehrwürdige Rilke gefühlt haben muss: »Ich will ein blondes Mädchen, mit dem ich spiele. Wilde Spiele.« Poesie ohne Patina. Oh, wie gern hätte ich doch wilde Spiele mit ihr gespielt, aber ich hatte nicht die leiseste Spur einer Chance. In Bagdad, besonders in unserem Viertel A'Thaura, wo hauptsächlich Südiraker lebten, gab es nur braun- und schwarzhaarige Menschen, und ein blondes Mädchen war eine Königin, eine Einäugige unter Blinden. Mit sechzehn heiratete Fatima einen dreißigjährigen Unternehmer, dessen Bauchumfang dem seines Kontos entsprach.

Nach Fatima glich mein Leben einer Wüste. Es passierte nichts Erwähnenswertes. In Bagdad, im sogenannten Volks- oder genauer Armenviertel, wo die Häuser eng miteinander verbunden und die Traditionen, Bräuche und Sitten noch äußerst lebendig sind, ist es nicht leicht, sich mit einem Mädchen zu verabreden. Man konnte nicht einfach irgendwo mit einer Frau zusammen spazieren gehen. Man musste dazu schon bestimmte Plätze im Stadtzentrum aufsuchen, aber das funktionierte nur mit Beamtinnen oder Studentinnen, die sich zumindest teilweise frei bewegen konnten. Mit jungen Frauen, die weder studierten, noch sonst irgendwie berufstätig waren, war das ein Ding der Unmöglichkeit, weil sie ständig zu Hause bleiben mussten. Und von dieser Sorte Mädchen gab es in A'Thaura so viele wie Brot in einer Bäckerei. Deswegen hatte sich im Viertel eine ganz eigentümliche Sprache zwischen halbwüchsigen Jungen und Mädchen entwickelt: Die Augenzwinker- und Kopfnicksprache.

Und die funktionierte so: Das Mädchen sitzt auf dem Boden vor der Haustür oder steht am Fenster und schaut nach draußen. Der Junge spaziert durch die Gassen des Viertels. Wenn er ein Mädchen anschaut, das seinen Blick sanft und etwas verlegen erwidert, oft auch begleitet von einem fast unmerklichen Grinsen, zwinkert der Junge mit einem Auge, was so viel heißt wie: »Ich mag dich.« Wenn das Mädchen weiter grinst, dann weiß der Junge, es hat gefunkt. Also spaziert er gemächlich und ausgiebig weiter durch andere Gassen, bevor er schließlich zu dem Mädchen zurückkehrt. Wenn es noch da ist, dreht er das Gesicht nach rechts oder nach links. Das heißt: »Folge mir!« Nun gibt es drei Möglichkeiten. Entweder sie folgt ihm, bis sie das Viertel verlassen haben und miteinander sprechen können, um ein mögliches Treffen zu verabreden, oder aber sie wirft ihm einen Zettel vor die Füße, auf dem sie Ort und Zeit einer möglichen Zusammenkunft notiert hat. Die dritte Möglichkeit aber ist ein Nicken mit dem Kopf in Richtung ihres Busens. Das bedeutet: »Komm näher!« In diesem Fall dreht der Junge eine weitere Runde, damit niemand merkt, was er vorhat. Wenn er dann zum dritten Mal an dem Mädchen vorbeigeht, muss er seine Ohren weit aufsperren, weil es ihm Zeit und Ort für ein Stelldichein zuflüstert.

Diese dritte Möglichkeit eröffnete sich mir eines Mittags im Sommer mit einem Mädchen, dessen Namen ich bis heute nicht kenne. Die Kleine hatte wunderbare schwarze Augen und einen verdammt schönen vollen Busen. Wohnte in einem anderen Viertel, das von unserem einen etwa halbstündigen Fußmarsch entfernt lag. Sie raunte mir zu: »Heute, Mitternacht, auf dem Dach.« Den ganzen Nachmittag und Abend war ich nervös und aufgeregt und wartete darauf, dass mein Schreibtrieb wieder einsetzte. Ging sogar noch schnell beim Basar vorbei, um mir aus dem Geschäft meiner Eltern einige Blatt Papier zu besorgen. In der Nacht marschierte ich durch ihr Viertel, schlenderte jede halbe Stunde am Haus ihrer Familie vorbei und schaute dabei in Richtung Dach. Ich konnte es kaum erwarten, dass sie dort oben erschien und mir zunickte. Kurz nach Mitternacht tauchte sie endlich auf. Ihr Kopfnicken signalisierte mir, zu ihr aufs Dach zu steigen. Das Haus war nur einige Meter hoch, und es gab genügend Fenster, die mir den Aufstieg erleichterten. Trotzdem dauerte es ein Weilchen, bis ich oben ankam, denn ich musste höllisch aufpassen, dass mich niemand entdeckte.

Als ich endlich auf der Dachumrandung stand, erblickte ich sie lächelnd, neben einem Taubenkäfig. Sie hatte ein unwahrscheinlich reizvolles Kleid an. Oder war es ein Nachthemd? Genauer gesagt war sie eigentlich halbnackt. Die Mauer um das Dach herum war ungefähr zwei Meter hoch. Als ich auf die Dachfläche hinabsprang, erklang zu meinem Erstaunen ein lauter, dumpfer Schlag. Gleichzeitig hörte ich eine kreischende, zornige Stimme von unten: »Was ist los? Wer ist da?« Das Mädchen wurde urplötzlich hektisch, drehte sich wie eine Verrückte im Kreis und fing aus Leibeskräften an zu brüllen: »Hilfe! Ein Dieb! Ein Taubendieb!« Völlig entgeistert starrte ich sie an und wusste im ersten Augenblick nicht, was ich tun sollte. Aufgeregt zischte sie mir entgegen: »Hau ab, du Blödmann, hau ab! Verschwinde!«

Ich sprang mit einem Satz auf das ein wenig niedriger gelegene Dach des Nachbarn. Von dort aus gelangte ich auf die Straße und rannte pfeilschnell in Richtung meines Viertels davon. Hinter mir hörte ich wütendes Geschrei. Als ich mich kurz umdrehte, sah ich eine Horde Männer und Burschen hinter mir herlaufen. Einige hatten sogar Messer oder Stöcke in der Hand. Ich galoppierte wie ein wild gewordenes Pferd durch die Gassen, aber das Gebrüll ließ sich nicht abschütteln. Erst nachdem ich mein Viertel erreicht hatte, wagte ich es, mich erneut umzudrehen. Nichts! Gott sei Dank! Das war knapp. Verschwitzt und erschöpft trottete ich nach Hause und kehrte nie wieder in meinem Leben in jenes Viertel zurück.

Trotz alledem verführten mich immer wieder neue Reize, meiner Schreibspinnerei zu huldigen. Die Frauen auf den Straßen schienen mir von Tag zu Tag verführerischer, und auch mein Tempeltraum verließ mich nicht. So blieb das viele Jahre hindurch. Ich stahl weiterhin Papier aus dem elterlichen Geschäft und schrieb, bis der Tag kam, an dem ich die Bagdader Frauen, Bagdad selbst und auch das Dattelpapier verlassen musste.

Ich erreichte Amman. Nicht als Urlauber, sondern als Flüchtling. Und für einen Flüchtling war es schwer, im Ausland zu leben, aber man findet immer einen Ausweg. Amman war eine kleine Stadt, aber ihre sanften Hügel und Berge ließen sie groß erscheinen. Es ging ständig den Berg hinauf oder den Berg hinunter. »Bergauf« hatte man stets das Gefühl, jemand würde sich einem an den Allerwertesten hängen, so dass dieser nach hinten gezogen wurde und man den Kopf unwillkürlich nach vorne strecken musste. »Bergab« aber empfand man genau das Gegenteil, als schöbe einem jemand mit aller Kraft den Hintern nach vorn. In dieser Bergauf-Bergab-Stadt also gelang es mir schließlich, einen Job zu finden. Ich kam in einer Kosmetikfabrik unter, die etwas außerhalb lag. Meine Aufgabe war es, die nassen Seifenkerne aus den Maschinen zu holen und zum Trocknen in die Sonne zu legen, dann die getrockneten Seifenkerne wieder einzusammeln und zu den Maschinen zurückzutragen. Die Fabrik gehörte einigen Unternehmern gemeinsam. Engländern, einer davon irakischer Abstammung.

Die Fabrik war eine Fabrik voll schöner Frauen; die Schönste von allen hieß Suad und hatte einen phänomenalen Hintern und einen geradezu göttlichen Busen. Sie arbeitete an einer der Maschinen, zu denen ich die getrockneten Seifenkerne zu bringen hatte. Gleich am ersten Tag in der Fabrik erwachte in mir wieder der Drang zu schreiben, besonders als ich Suad beobachtete, wie sie heimlich ihren obersten Blusenknopf öffnete, um dann vor dem Fabrikdirektor kokett auf und ab zu stolzieren, ihren Busen zur Schau stellend. Da fühlte ich, dass ich schlagartig zu längst vergangenen Jahrhunderten zurückgekehrt war, zum Tempel, zur Tochter des Priesters und zu deren Busen. Dasselbe Zittern, dasselbe Beben in jedem Teil meines Körpers. Der Wunsch zu schreiben stieg ins Unermessliche, doch ich hatte kein noch so winziges Stück Papier bei mir. Da entdeckte ich auf einem Tisch ein kleines Päckchen, in Papier eingewickelte Falafel. Es gehörte Suad. Kurz entschlossen nahm ich das Falafel-Papier an mich, und es wurde mein Lieblingsschreibpapier in dieser Stadt.

Mit Suad war ich schnell gut befreundet. Sie erzählte, sie hätte auch Lust zu schreiben, aber nur für sich selbst. Sie stammte aus Palästina, besaß aber die jordanische Staatsangehörigkeit. Ihre Familie hatte in den Vierzigerjahren Palästina verlassen müssen, als Israel begann, auf der Weltkarte zu existieren. Suads Vater kämpfte mit irgendeiner verbotenen palästinensischen Organisation, die Palästina von den Israelis befreien wollte. Aber eines Tages wurde er zusammen mit seinem großen Sohn tot auf der Straße aufgefunden. Da war Suad gerade zwei Jahre alt. Sein mysteriöser Tod blieb bis zum heutigen Tage unaufgeklärt. Suad redete nicht gern darüber, aber einmal sagte sie zu mir, die jordanische Regierung habe das verbrochen. »Diese Regierung ist eine Schande!« Die arme Suad musste dann gleich nach dem Abitur in der Seifenfabrik anfangen, um sich und ihre kranke

Mutter über Wasser zu halten. Über ihren Traum, Rechtsanwältin zu werden, meinte sie nur schicksalsergeben: »Das muss ich vergessen!«

Mir wurde schnell klar, dass ich mich in Suad und ihr Schicksal verliebt hatte. Zwischen uns war eine enge Freundschaft gewachsen. Wir begannen, zusammen auszugehen, meist ins Kino, und verbrachten auch sonst eine Menge Zeit miteinander. Schrieben uns gegenseitig sogar Gedichte. Meine wichtigsten Gedichte aus dieser Zeit habe ich Suad aber nie gezeigt, denn sie waren der Betrachtung ihres Körpers entsprungen, immer dann, wenn ich wieder einmal jenes unbeschreibliche Zittern und Beben in jedem Teil meines Körpers verspürte. Natürlich erzählte ich ihr auch davon kein Wort, und ich war glücklich über jeden Tag, an dem ich ihre traurigen schwarzen Augen sehen durfte.

Man kann sich also leicht vorstellen, wie hoch mein Papierkonsum in dieser Zeit gewesen ist. Kaufen konnte ich das natürlich nicht. Mein Lohn reichte gerade mal zum Leben, wie hätte ich da noch Geld für Papier ausgeben können. Und so besorgte ich mir oft Papier aus den Mülltonnen oder an den zahlreichen Falafel- oder Kebabbuden. Ein Mal stibitzte ich sogar einen ganzen Stapel an einem Imbiss-Stand, als der Verkäufer mal kurz in die Küche musste.

So schrieb ich mehr als sieben Monate und das fast täglich. Aber das heißt noch lange nicht, dass alles in Ordnung gewesen wäre. In Jordanien konnte ich nicht mehr bleiben. Ich hatte zwar ein sechsmonatiges Aufenthaltsrecht, aber – wie alle Iraker, die während der Neunzigerjahre nach Jordanien gekommen waren – keine Arbeitserlaubnis. Ich musste mich häufig verstecken, wenn die Fabrik kontrolliert wurde. Musste jedes Mal über die Fabrikmauer springen und möglichst schnell möglichst weit weg rennen. Nach den ersten sechs Monaten Aufenthalt in Jordanien hatte man dann einen Dollar pro Tag an die Regierung zu bezahlen, oder man wurde in den Irak abgeschoben. Aber wer konnte sich das schon leisten!

Die sechs Monate hatte ich längst überschritten. Suad war sehr traurig, weil ich Jordanien verlassen musste, aber noch trauriger war ich selbst. Wie gern hätte ich ihr gesagt, dass ich sie liebte, aber mein Mut hatte mich verlassen. Also ließ ich Suad in ihrer Ersatzheimat zurück und machte mich auf den Weg, auch für mich eine zu finden.

Meine Gedichte für Suad und ihre Gedichte für mich ließ ich bei ihr zurück, als mein Abschiedsgeschenk an sie, aber die, die ich heimlich auf Falafel- und Kebabpapier geschrieben hatte, nahm ich selbstverständlich mit. Während meiner sechstägigen Reise, die mich per Bus und Schiff von Asien nach Afrika führte, blätterte ich sie immer und immer wieder durch, und jedes Wort erinnerte mich an meine geliebte Suad. Ich schrieb ihr einen langen Brief, in dem ich ihr aufrichtig meine Liebe schwor. Den behielt ich lange bei mir, bis ich ihn eines Tages wie in romantischen Filmen in eine Flasche steckte und ins Mittelmeer warf. Ob er jemals seine Adressatin erreicht hat?

Meine Füße berührten libyschen Boden, genauer gesagt landete ich in Benghazi. Diese kleine am Meer gelegene Stadt hatte außer eben diesem und zahlreichen Stränden nicht viel zu bieten – ich meine natürlich an Frauen. Zwar gab es davon eine schöne Auswahl, aus Asien oder Afrika und sogar aus Europa, besonders aus Rumänien, doch konnte man sie nicht so einfach ansprechen oder gar anfassen. Ich glaube, wenn die Regierung es erlaubt hätte, hätten die Männer an ihren Frauen am liebsten Schilder angebracht: »Harram – Anfassen verboten! Lebensgefahr!« Freitags hatte man in dieser Stadt das Gefühl, in der Sahara zu sein. Auf den Straßen war keine einzige Frau zu sehen. Überall nur Gläubige, die sich beeilten, das Freitagsgebet nicht zu verpassen. Auch abends waren die Frauen wie weggeblasen, abgesehen von einigen Ausländerinnen, die aber fast ausschließlich in männlicher Begleitung auftraten. Wie üblich gab es auch ein paar Huren, meist auch Ausländerinnen, besonders aus Marokko.

Mein Hobby »Frauen anschauen« baute ich in Benghazi langsam zu einer Wissenschaft aus, deren grundlegende Theorie ich »Analyse weiblicher Hinterteile« taufte. Zusammen mit einem Landsmann namens Hasan trieb ich mich oft an dem direkt in der Stadtmitte gelegenen Strand Tibisti herum, um die nachmittags dort spazierenden Frauen zu begutachten. Innerhalb kürzester Zeit gelang es uns, die wesentlichsten Unterschiede der verschiedenen Hintern herauszufiltern. Unsere Untersuchungen brachten das Ergebnis, dass die einzelnen Hinterteile ohne große Anstrengung der Nationalität ihrer jeweiligen Besitzerin zugeordnet werden konnten. So gehörten große, pralle Hintern libyschen oder ägyptischen Frauen, was meines Erachtens darauf zurückzuführen war, dass man in diesen Ländern traditionellerweise besonders viel Nudeln und Bohnen aß. Die kleinen, festen Hintern dagegen gehörten tunesischen und marokkanischen Frauen, weil diese, Hasans Vermutung zufolge, sich viel bewegten und wie Männer arbeiten mussten. Die kleinen, breiten und weniger festen Hintern, oft über recht dünnen Beinen, hatten meist sudanesische oder somalische Eigentümerinnen, wohl wegen des Hungers und der erbarmungslosen Sonne. Die aber, die auf festen, fleischigen Beinen saßen, waren mauretanische, weil … ja, warum nur! Fakt ist, dass diese unsere Theorie wohl kaum jemals eine größere Rolle auf dem weiten Feld der internationalen Wissenschaft spielen dürfte. Hasan und ich aber hatten einen Heidenspaß damit, und das war ja schließlich das Wichtigste.

Aber damit nicht genug. In Benghazi hatte ich endlich auch mal ein wenig Glück in Sachen Arbeit, nicht nur in Hinblick auf meine desolate Fluchtkasse. Gleich in den ersten Monaten fand ich eine Stelle als Arabischlehrer an einer Grundschule. Ich hatte den ganzen Tag zu tun, bis auf einmal eine Priestertochter vor mir stand in Gestalt von Jasmin, der neuen Englischlehrerin, die schlagartig meinen fast schon krankhaften Zwang zu schreiben wieder auflodern ließ. Dieses Mal war es das Papier der Schüler, das ich vorsichtig aus der Mitte ihrer Hefte heraustrennte, wenn sie mir diese zum Korrigieren mitgaben. Von jedem genau einen Bogen.

Ich erinnere mich, dass ich nach einem Traum unbedingt Papier brauchte. Der Traum hatte mich aufs Heftigste zittern gemacht. Da war er wieder, der Tempel, und um mich herum die Tochter des Priesters und meine Musen, Fatima, Suad und Jasmin, die Stück für Stück ihre Kleider auszogen und sachte vor mir auf den Boden gleiten ließen, damit ich darauf schreibe. In dieser Nacht schlich ich mich in das benachbarte Zimmer meines Kollegen, eines Lehrers für Mathematik, und klaute Papier aus seinem Lehrplan.

Jasmin stammte aus einer sehr traditionsbewussten Familie. Sie war bereits vierundzwanzig Jahre alt und ihre Mutter entsetzt, weil die Tochter immer noch unverheiratet war. Es dauerte nicht lange, bis ich hörte, ein Lehrer halte um ihre Hand an. Ich war erleichtert darüber, endlich etwas mehr Abstand zu bekommen. Nicht etwa, weil ich Jasmin nicht gemocht hätte. Nein, ganz im Gegenteil, ich mochte sie sogar sehr. Lebte aber ständig in der Angst, dass irgendjemand dahinterkommen könnte, was ich mit ihr trieb. Wir trafen uns zwei Mal im Monat bei ihrer verheirateten Schwester, die uns komplizenhaft ihre Wohnung zur Verfügung stellte. Dort haben wir alles Mögliche miteinander gemacht. Einmal schrieb ich sogar mit Lippenstift ein Gedicht auf ihren Körper. Im Gegensatz zu Suad ließ ich sie fast alle meine Gedichte lesen, auch die, die ich über ihren Körper geschrieben hatte, und zwar auf eben jenes Papier, das ich den Schülerheften und dem Kollegenlehrplan entnommen hatte.

Letztlich ging sie als Jungfrau zu ihrem künftigen Ehemann

ins Bett. Ja, als Jungfrau! So verlangen es die Sitten und Bräuche in diesem Land: »Eine Frau muss als Jungfrau in die Ehe gehen.« Das war für mich von Anfang an klar, und ich musste immer höllisch aufpassen, dass sie auch tatsächlich Jungfrau blieb. Ebenso war mir auch von Anfang an klar, dass unsere Beziehung sowieso keine Zukunft gehabt hätte. Jasmins Familie wäre niemals damit einverstanden gewesen, ihre Tochter einem Ausländer zu überlassen, und noch dazu einem Iraker, der nichts besitzt außer ein paar Gedichten. In diesem Zusammenhang waren mir schon mehrmals Gerüchte zu Ohren gekommen über Unglücksfälle, die Ausländern zugestoßen waren, die eine Beziehung zu Einheimischen hatten. Ich erinnere mich noch, wie die Lehrer der Schule einmal zusammensaßen und von einem solchen Fall sprachen. In einer benachbarten Schule war es ein paar Monate zuvor zu einem tragischen Unglück gekommen, dem ein Musiklehrer, ein Algerier namens Malik, zum Opfer gefallen war. Man hatte ihn ermordet, und der Täter wurde nie gefunden, wohl weil man nie nach ihm gesucht hatte. Der Direktor erzählte, er habe den Toten mit eigenen Augen gesehen, auf dem Boden vor der Schultür liegend, blutüberströmt, mit einer Kugel im Kopf. Kurz zuvor hatte ein anderes Gerücht die Runde gemacht: Malik habe mit Leila, der Chemielehrerin, geschlafen. Leila heiratete kurz nach dem tragischen Zwischenfall einen Kerl, der ein wichtiger Mann gewesen sein soll, Angehöriger der persönlichen Armee des Präsidenten.

So weit, so gut. Auch Jasmin heiratete. Mein Drang, Papier zu stehlen, flaute wieder ab, und mein Lehrauftrag dauerte nicht mehr lange. Ich war gezwungen, mir einen neuen Job zu suchen. Und so machte ich mich auf den Weg in eine neue Stadt.

Tripolis war groß, und zwar sehr. Am Anfang verirrte ich mich oft in den alten Vierteln, Basaren und Fußgängerzonen. Die Atmosphäre war nicht schlecht, man konnte sich frei bewegen und sich sogar mit Frauen unterhalten. Auf den Straßen konnte man dazu noch einen Haufen ausländischer Frauen finden. Jede Menge Huren in einschlägigen Hotels, Tanzklubs und in vielen anderen Ecken des Stadtzentrums. Allerdings waren sie ausschließlich aus dem Ausland, wie auch die Hilfskräfte ihrer einheimischen Zuhälter.

Es dauerte ein Weilchen, bis ich in dieser Riesenstadt eine Arbeit gefunden hatte. Zuerst landete ich in einem Pizzaimbiss, dann in einem Café am Strand, wo ich auch übernachten durfte. Von morgens bis abends musste ich die Kundschaft mit Tee oder Säften bedienen und einen Film nach dem anderen auf dem Videorekorder abspielen. Abends wurde das Café geschlossen, aber in Wahrheit saßen immer noch ein paar Männer drinnen und warteten darauf, dass ich einen Pornofilm einlegte. Das war mein Job, und meine Kunden waren Dealer, Junkies, Diebe, Hehler, Schwule, Ausländer und Männer, die den ganzen Tag nichts zu tun haben, als im Café Filme anzuschauen. Tagsüber indische, abends pornografische.

In dieser Zeit ging es mir nicht besonders gut. Ich wollte unbedingt einen neuen Job, aber das war nicht so einfach. Das Land war voller Ausländer, die bereit waren, für wenig Geld jeden noch so miesen Job zu machen. Der Besitzer des Cafés gab mir dann aber eine Wohnung in einem Neubau in der Stadtmitte. Ich war froh, nicht mehr im Strandcafé nächtigen zu müssen. Dort kam ich immer erst sehr spät zum Schlafen, musste aber jeden Morgen früh raus. Und wirkliche Ruhe gab es eigentlich gar nicht. Oft konnte ich vor lauter Schreien und Stöhnen schwuler Männer, die nächtens in allernächster Nähe ihren Trieb zu befriedigen suchten, kein Auge zutun. Diese Armen – sie ließen sich oft von den übelsten Typen besteigen und wunderten sich dann, dass diese sie schlugen oder wer weiß was sonst noch mit ihnen anstellten. Morgens um acht musste ich das Café aufsperren und meinem schwulen ägyptischen Mitarbeiter Jamal dabei behilflich sein, seine Verletzungen der letzten Nacht zu kurieren. So war die Neubauwohnung meine Rettung, obwohl sie eigentlich nur aus einem winzigen Zimmer bestand, mit einer Glühbirne an der Decke. Sonst nichts. In dieser Wohnung lebten außer mir noch vier weitere ausländische Arbeiter: einer aus Tschad, einer aus Tunesien, einer aus Ägypten und einer aus Syrien.

Leider konnte ich nur zwei Tage bleiben, dann musste ich fliehen. Nicht etwa, weil nur ein Klo für zwanzig Leute da gewesen wäre, oder weil die Wohnung vor lauter Läusen nur so wimmelte. Nein, nein, weil mein syrischer Mitbewohner Scheiße gebaut hatte. Gleich in der ersten Nacht, als wir alle zusammensaßen, prahlte der Syrer mit stolzgeschwellter Brust:

»Wir haben hier in der Wohnung einen Weltklasseporno!«

»Oh, nein, ich hab die Schnauze voll von diesen blöden Pornostreifen!«

»Nein, du verstehst nicht! Ich meine einen echten, einen wirklichen Porno!«

»Wie?«

»Zuerst musst du versprechen, dass du niemandem ein Sterbenswörtchen erzählst. Alles bleibt hier in diesen vier Wänden!«

»Okay, versprochen!«

»Gut, dann warten wir noch bis zwölf!«

Um zwölf Uhr schließlich nahm der Syrer einen Stein aus der Mauer.

»Nun, die Vorstellung beginnt!«

Einer nach dem anderen lugte erwartungsvoll durch das Loch in der Wand. Auf der anderen Seite waren die beiden Töchter des Hausbesitzers in ihrem Schlafzimmer. Als ich an der Reihe war, lagen sie direkt vor dem Mauerloch auf einem Bett und vergnügten sich auf höchst anregende Weise miteinander. Der Ägypter erklärte, auch sie hätten einen Stein aus der Mauer entfernt und es ebenso genossen, auf diese Art ihr geheimnisvolles nächtliches Treiben mit uns zu teilen. So ging das noch eine halbe Stunde weiter, bis sich eines der Mädchen erhob und den Stein wieder in die Maueröffnung schob. Dasselbe taten dann auch meine Mitbewohner. Die Lichter gelöscht, die Vorstellung zu Ende.

Am nächsten Tag spürte ich bei der Arbeit, wie mir der Schreibtrieb wieder in den Kopf stieg, und mein Herz begann schneller zu schlagen. Ich setzte mich an einen Tisch, nahm einen Haufen Quittungszettel aus dem Café und begann, fieberhaft zu schreiben. An diesem Tag schrieb ich außerordentlich viel.

Abends, als ich erschöpft nach Hause zurückkehrte, erwartete mich eine böse Überraschung. Eine Menge Leute stand mitsamt der Polizei vor meinem Wohnhaus. Ein Mitbewohner aus dem ersten Stock fragte mich leise:

»Bist du der Neue hier?«

»Ja, was ist denn passiert?«

»Hau schnell ab! Sie haben euch entdeckt!«

»Was haben sie entdeckt?«

»Das Loch!«

Nach diesem Vorfall lebte ich wie auf einem Geisterschiff. Ziellos irrte ich von einer Arbeitsstelle zur anderen, von einer Stadt zur anderen, von einem Land zum anderen und von einer Flucht zur anderen. Frauen kamen und gingen, und selbst das Schreiben verließ mich für lange Zeit. Zwar versuchte ich ab und an einmal, ein paar Zeilen zu Papier zu bringen, aber was mir fehlte, war die Leidenschaft. Auch verspürte ich keinerlei Drang mehr, Papier zu stehlen, was ja schließlich auch gar nicht mehr nötig war. Nach der Geschichte mit dem Guckloch hatte sich mein Tempeltraum abrupt verabschiedet. Erst eine ganze Weile später in Europa, im griechischen Achaia, tauchte er noch einmal auf.

49

Achaia, das etwa eine Stunde von der Stadt Patras entfernt lag, war ein winziges Dorf. Eigentlich wollte ich niemals dorthin und dachte nicht daran, jemals dort zu wohnen und zu arbeiten. Ich lagerte vorher in Patras, als ich auf die Idee kam, Achaia mein Gesicht zu zeigen. Nach mehreren gescheiterten Versuchen, illegal von Patras aus nach Italien zu reisen, und wegen Geldmangels suchte ich in dieser Gegend der Erde einen Job. Eines Tages hörte ich von einem Flüchtling, es gäbe in Achaia viele Zigeunerhändler, die Helfer zum Teppichtragen suchten. Ohne nachzudenken fuhr ich dorthin.

Ich wohnte mit sechs anderen Arbeitern in einer Altbauwohnung am Rande des Dorfes. Es gab nichts außer zwei Zimmern, keinen Strom, kein Wasser, keine Toilette. Wir holten Wasser aus einem Nachbarhaus und verwendeten Kerzen. Für unsere Notdurft hatten wir den freien Himmel außerhalb des Dorfes. Immerhin verdiente ich da Geld, das mir für kurze Zeit weiterhelfen konnte.

Meine Aufgabe war es, von morgens bis abends am Dorfplatz zu stehen und auf einen Kunden zu warten, der einen Träger suchte, um seinen Lastwagen mit Teppichen vollzuladen. Ich transportierte Teppiche der verschiedensten Herstellerländer: Indien, Persien, Arabien und wo eben sonst noch Teppiche produziert werden. Ich bedurfte weder besonderer Sprachkenntnisse noch einer speziellen Ausbildung, um zu verstehen, was ich zu tun hatte, und die Leute erklärten mir mit Händen und Füßen ganz gut, was ich wissen musste.

In diesem Dorf war die Anwesenheit der Zigeuner nicht zu übersehen: Knoblauchketten an den Türen, ein sehr vorsichtiges, wenn nicht sogar misstrauisches Verhalten gegenüber Fremden, besonders, wenn es sich um die Zigeunerinnen handelte, die farbenfrohe Kleider und auffallend viel Schmuck trugen. Was die Frauen anbelangte, konnte ein Fremder sehr schnell ernsthaften Ärger bekommen. Man durfte sie unter keinen Umständen

ansprechen. Nachmittags spazierten sie gern durch die Dorf-
straßen, stets von den wachsamen Blicken der Zigeunermänner
begleitet, was eventuelle Annäherungsversuche fremder Männer
geradezu unmöglich machte. Die bedrohlichen Muskeln und
die kräftigen Hände dieser ständigen Bewacher ließen schon
den leisesten Wunsch meinerseits, mich einer dieser hübschen
Zigeunerinnen zu nähern, im Keim ersticken.

Einmal aber traf ich doch eine dieser feurigen Frauen. Und
das geschah so: Wenn gerade mal keine Teppiche zu tragen
waren, transportierte ich auch alle möglichen anderen Dinge.
So kam eines Tages eine alte Dame auf mich zu und bedeutete
mir, sie zu ihrem Haus zu begleiten. Dort wartete ein junges
Mädchen in einem hellen Hauskleid. Die alte Dame ließ mich
bei dem Mädchen im Hof ihres Hauses stehen und setzte sich
auf einen Stuhl am Hauseingang. Ich betrachtete das Mädchen
neugierig. Die Kleine war ungefähr zwanzig, kräftig gebaut und
von einer flammenden Schönheit, wie sie nur bei den Zigeunerinnen anzutreffen ist. Mit Handbewegungen und einzelnen
Wörtern versuchte sie mir zu erklären, was ich hier zu tun hatte.
Ich sollte mit ihr zusammen die Möbel im Schlafzimmer umstel-
len: das Bett in die Ecke, den Schrank neben das Fenster ... Ich
konnte mich aber kaum konzentrieren, weil ich bei jeder ihrer
Bewegungen ihre kaffeefarbenen Brüste im Ausschnitt sehen
konnte. Sie bemerkte meine Nervosität und begann mit mir
ein gefährliches Spiel. Sie zog ihr Hauskleid höher und band es
sich um die Hüften, damit ich über die Hälfte ihrer strammen,
schokoladefarbenen Beine zu Gesicht bekam. Eine wilde, höchst
erotische Vorstellung. Wir arbeiteten sehr langsam, ohne ein
Wort zu sprechen. Manchmal berührten wir uns auch leicht,
wenn wir gleichzeitig zum selben Möbelstück griffen. Dann
spürte ich jedes Mal mein Herz schneller schlagen, als galoppierte ein verrückter Gaul davon. Eigentlich wäre der Auftrag
in maximal einer Viertelstunde zu erledigen gewesen. Wir aber

brauchten fast eine ganze. Die alte Dame bemerkte das. Sie sagte etwas zu dem Mädchen, was ich nicht verstehen konnte. Danach begann die Kleine schneller zu arbeiten. Die Alte drehte sich mit ihrem Stuhl um und schaute uns zu. Deshalb war mein Job leider schnell vorbei.

Dieses Mädchen, dessen Namen ich nicht erfahren hatte, weckte in mir plötzlich einen Orkan. Ich begann zu zittern. Mein Laster meldete sich in voller Stärke zurück. Ich merkte, wie es mich zum Geschäft eines Teppichhändlers zog. Vor dem Eingang stand ein riesiger Container, daneben lag eine ganze Menge gelbes und weißes Papier, das zum Einwickeln der Teppiche benutzt worden war. Ich packte schnell, so viel ich nur konnte, und rannte davon.

Ich bekam so eine Art Schreibdurchfall. In der Nacht griff mich mein Traum wieder an. Ich schrieb wie besessen, und jedes Mal, wenn ich irgendeine andere Zigeunerin sah, bebte mein ganzer Körper wie eine Nektar saugende Biene. In fast allen Teppichgeschäften stahl ich Papier, aber das Mädchen habe ich nie wieder gesehen. Immer wenn ich an diesem Haus vorbeiging, sah ich die alte Dame auf ihrem Stuhl, doch die Kleine …?

Auf dem Schreibdrachen ritt ich etwa eine Woche, aber eine sehr aufregende und erfolgreiche Woche – in Anbetracht der vorherigen langen Schreibverstopfung. Innerhalb dieser Woche schrieb ich eine Menge Gedichte, die ich allen Zigeunerfrauen widmete. Das feurige Mädchen aber, das ich voller Leidenschaft »Zigeunerpriestertochter« nannte, hat fast einen ganzen Gedichtband allein bekommen.

So plötzlich, wie es gekommen war, hörte das Zittern wieder auf. Kein Erdbeben mehr, kein Traum, keine Raubzüge. Und auch die kleine Zigeunermuse entzog sich meinen Blicken wie ein Schmetterling dem Winterfrost. Ich entschied mich, nicht länger in Achaia zu bleiben. Ich hatte etwas Geld gespart, das mir für kurze Zeit reichen würde. Und so kehrte ich zurück nach Patras, von wo aus meine Reise weitergehen sollte.

Ich erreichte Deutschland. In Passau, einer kleinen Stadt an der deutsch-österreichischen Grenze, am Fuße der Bayerwaldberge, wo die Donau gleich um zwei Flüsse reicher wird, gesellte sich der Traum wieder zu mir.

Dort entdeckte ich viele neue Dinge, darunter ein völlig neues Schönheitsideal in Bezug auf die körperlichen Gegebenheiten des weiblichen Teils der Menschheit. Bisher war mir nur die von mir sogenannte »Kuhschönheit« bekannt. Wie der Name schon vermuten lässt, gleichen diese »Kuhschönheiten« satten, wohl-genährten und rundum glücklichen Milchkühen, die sich auf saftigen Wiesen ihres beschaulichen Daseins erfreuen, kräftig und fleischig, nach dem Vorbild der griechischen Göttin Aphro-dite. In diese Kategorie gehören arabische, türkische, griechische und viele andere Frauen südländischer Herkunft. Die zweite Art weiblicher Schönheit, die ich in Passau genauer kennenlernte, war die »Ziegenschönheit«. Diese Kategorie Frauen machte auf mich einen eher abgemagerten, ja fast schon verhungerten Eindruck. So gut wie kein Bauch, dünne, lang gestreckte Beine, kleine, feste Brüste und ein winziger, kaum sichtbarer Miniatur-hintern. Wie in meiner Heimat bei den Ziegen. Das also schien das westliche Ideal einer begehrenswerten Frau zu sein, das in jeder Illustrierten, in sämtlichen Fernsehkanälen und auf riesi-gen Plakatwänden prangte.

Passau war für mich eine wunderbare Stadt mit seinen drei Flüssen, mit seiner Altstadt, den engen Straßen und, trotz Zie-genhintern, schönen Frauen. Ich wohnte in einem Asylanten-heim, nicht weit von der Stadtmitte entfernt, in einem Zimmer, das ich mit drei weiteren Männern teilte. Ein Mal pro Woche be-kam ich vom Staat ein Esspaket. Mit komisch riechender Wurst, farbigen hart gekochten Eiern, Brot und Säften. Manchmal gab es auch sogenannte Fischstäbchen, die mit richtigem Fisch aber nicht viel gemein hatten. Dazu erhielt ich sechzig Mark monatliches Taschengeld, auch vom Staat oder genauer von der »Ausländerbehörde«, die ich vom ersten Augenblick an nicht leiden konnte. Dort arbeiteten durch die Bank nur eigenartige Leute, die ich als »Darwin-Kreaturen mit Brillen« bezeichnete. Sie mochten mich nicht und ich sie auch nicht. Wir waren von Anfang an Feinde. Wieso? Weiß ich nicht. Aber ich weiß, sie verlangten immer von mir, ich solle ihnen zuhören. Doch das wollte ich nicht. Ein Mal schnauzte mich eine Angestellte an:

»Verschwinde jetzt, ich habe grad keine Zeit für dich!«

»Rede nicht so mit mir!«, schrie ich zurück. »Ich arbeite nicht in der Firma deiner Mutter.«

»Was?«, kreischte sie, »diesen Monat bekommst du keine müde Mark von uns.«

Diese sechzig Mark reichten gerade mal für eine Woche Zigaretten. Und arbeiten war nicht erlaubt. So konnte ich mir meinen Lebensunterhalt auch nicht selbst verdienen, obwohl ich das gern gewollt hätte.

Das Schlimmste aber war, dass in dieser Stadt auch mein Tempeltraum wieder auftauchte. Vom ersten Tag an überfiel mich wieder dieses eigenartige Zittern, und ich verspürte den ins schier Unermessliche steigenden Drang zu schreiben. Die Straßen dieser Stadt waren voll von Priestertöchtern und Musen, die sich zum Teil halbnackt an den Flussufern in der Sonne räkelten oder leichtfüßig über die Plätze tanzten. So hatte ich wieder jede Menge Gründe für meine krankhaften Raubzüge. Gierig stürzte ich mich auf jede Papiertonne in den privaten Wohnanlagen oder den öffentlichen Wertstoffhöfen der Stadt, denn die Menschen in dieser Stadt, wie auch in vielen anderen Städten dieses Landes, verfügen, wie ich später feststellte, über verschiedene Abfallbehälter: einen für Glas, einen für Plastik, einen für Restmüll und noch viele andere mehr. Man konnte fast glauben, man befände sich in einem gut sortierten Supermarkt und nicht auf einem Müll-Sammelplatz.

Diese Papier-Raubzüge vermehrten sich, als ich Olga kennenlernte. Sie war fünfundzwanzig Jahre alt und eine deutschstämmige Russin. Ihre Großeltern hatten während des Dritten Reichs Deutschland verlassen, weil sie Juden waren. Sie flohen nach Russland und starben auch dort. Später entschied sich Olga, nach Deutschland zurückzukehren, als ehemalige Russin und als heutige Deutsch-Jüdin. Ich traf sie in einem Passauer Café. Sie gefiel mir, obwohl sie eher zu den »Ziegenschönheiten« zählte. Aber das Herz kümmert sich eben nicht um Schönheitsideale und sonstige idealistische Einbildungen. Wir mochten uns vom ersten Augenblick an, aber leider war alles um uns herum gegen unsere Beziehung. Sie stammte aus einer jüdischen Familie und ich aus einer islamischen. Zu allem Überfluss war sie auch noch mit einem Russen verheiratet. Ein Alkoholiker. Er schlug sie manchmal so sehr, dass ich mich anschließend um ihre blauen Flecken kümmern musste. Trotzdem wollte sie sich nicht von ihm trennen. Des Kindes wegen. Oft sagte sie leise und traurig: »Wenn die Russen rauskriegen, dass ich mit dir zusammen bin, dann bist du ein toter Mann.« Diese Zeit war so über und über voll von Papier-Raubzügen und Gedichten, dass ich jegliche Orientierung verloren habe, über Ort, Zeit und Zahl.

Ich war froh, am Ende meine Aufenthaltsgenehmigung als anerkannter Asylberechtigter in Deutschland bekommen zu haben. Und so beschloss ich, mich von Passau, Olga und den halbnackten Passauerinnen zu verabschieden. Ich ging allein weg. Der Abschied von Olga fiel mir wirklich schwer, obwohl mir wieder einmal völlig klar war, dass sich diese Beziehung keinesfalls im Bereich des Möglichen befand.

Heute lebe ich in München, weit weg von meinen alten Städten! Diese Stadt ist so einzigartig, dass ich es manchmal kaum ertragen kann. Schön wie eine Rose, aber eine aus Plastik. Wie ein Privatkrankenhaus, stinksauber und teuer. Ich hasse den Winter in dieser Stadt, in dem die Gesichter ihrer Einwohner den Eindruck erwecken, als wären sie allesamt mit Pauken und Trompeten durch eine wichtige Prüfung gerasselt. Im Sommer aber will ich nicht lange weg sein. Da kleidet sich diese Stadt mit einem Mal völlig anders. Sie wird nackt. Wie die Frauen an der Isar. Oder besser gesagt, sie kokettiert. Wie die Frauen mit ihren Miniröcken und ihrem zarten, milchfarbenen Fleisch. Und obwohl mich in dieser Stadt Ausländerbehörde und Polizei – letztere kontrollierte mich teilweise im wöchentlichen Rhythmus, immer wenn sie mich, meine schwarzen Haare und mein braunes Gesicht zufällig auf der Straße erblickten – wahrlich kein ruhiges Leben führen ließen, erlebte ich hier meinen Tempeltraum wieder in voller Intensität. Wahrscheinlich weil diese Stadt voll ist von gut gewachsenen bayerischen Frauen, die mit außerordentlich rundem Busen und prallen Hintern garniert sind, und das im Land der »Ziegenschönheiten«. Und so setzten sich hier auch notgedrungen meine zwanghaften Raubzüge nach Papier wieder fort.

Gleich vom ersten Augenblick an war mir aufgefallen, dass in dieser Stadt an vielen Straßenecken ungewöhnliche Zeitungskästen auf Beinen herumstanden. Man konnte sich einfach eine Zeitung herausnehmen und das erforderliche Geld in einen kleinen, dafür vorgesehenen Schlitz werfen. Mit Geld hätte ich mir jedoch auch gleich ein anständiges Schreibheft kaufen können. Nachdem nun aber meine finanziellen Mittel wie immer mehr als nur beschränkt waren, blieb mir nichts anderes übrig, als – meinem Trieb folgend – die Zeitungen aus diesen Kästen zu stehlen, damit ich wenigstens den kleinen, freien Streifen am Rand zum Schreiben benutzen konnte. Letztlich machte ich mich sogar einmal über die Aktentasche meiner neuen bayerischen Freundin Sara her. Doch kaum hatte ich sie geöffnet …

Oh Gott, war mir das peinlich! Nach so vielen Jahren war ich zum ersten Mal in flagranti ertappt worden und musste Sara alles von Anfang an erzählen, vom Tempel bis zu ihrem Koffer. Von dieser Zeit an unterstützte sie meine schlechte Gewohnheit des Papierstehlens. Natürlich auf ihre Weise, indem sie nämlich stillschweigend ihre Aktentasche auf den Tisch legte und in ihr Schlafzimmer stolzierte, als wäre sie die Tochter eines Priesters.

4

Sprechende Wände

Ich frage mich häufig, welches Schicksal die Sprachen haben, dass sie als Fluch auf die Welt kamen. Der Fluch Gottes, welcher der Menschheit zürnte, weil sie versucht hatte, ihn durch die Errichtung des Turmes von Babel zu erreichen. Babel ist nicht weit von meiner Heimatstadt Bagdad entfernt, nur hundertzwanzig Kilometer. Es ist die Geburtsstadt meiner Mutter. So betrachtet fließt also babylonisches Blut durch meine Adern. Kurz nachdem ich die Geschichte des Turmes von Babel zum ersten Mal gehört hatte, fuhr meine Familie die Großeltern in Babel besuchen. Ich brannte natürlich darauf, mir sofort besagten Turm anzuschauen. Mein Großvater meinte dazu: »Den Turm von Babel gibt es schon lange nicht mehr. Aber wenn du genau hinschaust, kannst du ihn doch noch sehen.« Ich habe lange nicht verstanden, was er mit »genau hinschauen« meinte.

Ein guter Freund von mir, der in Bagdad englische Sprachwissenschaft studierte und in Australien weiterstudieren wollte, sah in dem Turm nur ein Symbol für die verschiedenen Sprachen. In einem Brief an mich behauptete er, den Turm hätte es in Wirklichkeit niemals gegeben, und zählte dafür auch mehrere Beweise auf. Doch der Fluch des Turms verfolgte ihn. Fast bis Australien, wohin er illegal gelangen wollte. Er wurde vom Meer verschlungen. Mir persönlich ist das völlig egal, ob es diesen Turm nun gegeben hat oder nicht. Ob die Menschen Gott tatsächlich so weit gebracht haben, endlich seinen Arsch zu bewegen und seine Macht gegen sie zu behaupten. Das einzig Wichtige ist, dass der Turm der Grund für die Menschen war, neben den Sprachen auch das Aufzeichnen und Schreiben beherrschen zu wollen.

Warum? Ganz einfach: Wenn die Leute viele Sprachen haben, dann schreiben sie, um ihre Sprache zu schützen und auch, um miteinander zu kommunizieren. Ich kann mir gut vorstellen, dass – wie schon in der Bibel geschrieben steht – am Anfang das Wort war, das ein Verrückter nach der Verfluchung auf einen Stein des Turmes kritzelte: »Ich bin der Urvater aller kommenden Schriftsteller.«

Möglicherweise meines babylonischen Blutes wegen, begann ich früh, an die verschiedensten Wände zu schmieren. Nicht etwa, um die Sprache zu schützen, vielmehr um die älteren Menschen zu ärgern. Damals kannte ich noch nicht die Verse von Heinrich Heine: »Und schrieb und schrieb an weißer Wand, Buchstaben von Feuer und schrieb und schwand.« Und trotzdem schrieb und schwand ich. Während meiner Mittelschulzeit verzierte ich die Wände der Schule mit provozierenden Unanständigkeiten in Kreide: »Der Schuldirektor ist ein Arschloch«. »Der Literaturlehrer vögelt die Putzfrau der Schule«. »Der Imam ist schwul«. Oder: »Der Präsident fickt alle«. Jedes Mal beobachtete ich genüsslich, wie Lehrer, Polizei und Regierungsbeamte tagelang und fieberhaft die Schule nach Verdächtigen absuchten. Das war mein Spiel. Aber als ich es eine Zeit lang weiter gespielt hatte, begann ein trauriges Kapitel. Die Regierung ließ eine ganze Menge junger Burschen aus unserem Viertel festnehmen, die sie als gefährlich oder verdächtig einstufte. Die Burschen tauchten nie wieder auf. Am Anfang dachte ich, die kämen schon wieder; aber dann ging das Gerücht, sie hätten unter der Folter zugegeben, die Urheber dieser Sprüche gewesen zu sein. Seitdem habe ich keinen einzigen Satz mehr an die Wand irgendeiner Schule geschrieben. Bis heute plagt mich das schlechte Gewissen, denn schließlich war ich der Grund, weshalb diese jungen Burschen ihr Dasein hinter Gittern fristen mussten.

Möglicherweise hatte das Schicksal dasselbe Spiel auch mit mir gespielt. Mit neunzehn Jahren wurde ich aus einem ähnlichen Grund ins Gefängnis gesteckt. Dort gab es unzählige Wände, die ich vollschreiben konnte. Eigentlich gab es nur Wände. Fenster war ein Fremdwort. Wie Sonne und Frauen. Man konnte nur erahnen, dass es irgendwo da draußen Sonne geben musste. Auf dieser dunklen Seite der Erde habe ich den ersten Vers gelesen. Er stand in meiner ersten Zelle an der Wand: »Das Gefängnis ist für mich eine Ehre, die Fessel ein Fußband und der Galgen die Schaukel der Helden.« Sein Verfasser musste jede Hoffnung schon verloren haben. Ich bekam es mit der Angst zu tun. Damals hatte ich keineswegs die Absicht, als Held am Galgen zu enden. Nach einem Jahr schrieb ich denselben Vers in einer anderen Zelle und dachte mir nichts dabei. An den Wänden stand einfach alles geschrieben. Man konnte viel Zeit damit verbringen, die Weltanschauung einzelner Gefangener zu erkunden, ebenso ihre ethnische oder religiöse Zugehörigkeit. »Arbeiter der Welt, vereinigt euch!« – Das war ein Kommunist. »Kurdistan soll frei sein!« – Ein Kurde. »Gott schütze die Gläubigen!« – Ein Religiöser. »Komm, Heiliger Al-Mahdi, rette die Erde!« – Ein Schiit. »Ich will zu meiner Mama.« – Einer wie ich, der keine Ahnung hatte, warum er da war.

Nicht alle Heiligen existierten an diesen Wänden. Der Gottgesandte Josef war der Wandstar des Gefängnisses. »Gott, wie Du Josef aus dem Gefängnis befreit hast, befreie auch mich!« Überall Josef, als ob er der einzige Gottgesandte der Erde gewesen wäre. Die Schiiten haben einen Imam namens Al-Kadhum, der aber im Gefängnis vergiftet wurde. Auch er war überall zu finden. Es war kaum zu übersehen, dass der Schreiber des Namens Al-Kadhum die Nase voll hatte, vom Leben oder besser von dem, was davon noch übrig war. So verbrachte ich die Zeit damit, die Sätze an den Wänden zu analysieren.

Später entdeckte ich ein neues Spiel. Ich versuchte, anhand der Inschriften die Aufenthaltsdauer des Schreibers im Gefängnis herauszufinden. Viele schrieben das Datum ihrer Ankunft an die Wand, gleich nach ihrer Inhaftierung. Bei einigen wenigen kam noch ein zweites dazu. Vielleicht das Datum ihrer Entlassung? Bei den meisten aber blieb die Ankunft das einzige Datum. Ich prägte mir bestimmte Schriftbilder ein und suchte in anderen Zellen ähnliche, denn während meines gesamten Aufenthaltes wurde ich häufig verlegt. So fand ich mit der Zeit heraus, dass die Inschriften ohne Entlassungsdatum meist von Schiiten und Kurden stammten. Diese Erkenntnis ließ meine Angst ins Unermessliche wachsen, denn auch ich gehörte einer schiitischen Familie an. Zu guter Letzt war mir dann doch das Glück beschert, nach genau einem Jahr, sechs Monaten und vier Tagen das Licht der Sonne wieder sehen zu dürfen.

Seit meiner Neugeburt schrieb ich selber kaum mehr an Wände. Dafür aber las ich umso mehr, was andere an Wänden hinterlassen hatten. Ich weiß nicht, wieso. Möglicherweise weil ich es von da an vorzog, auf Papier zu schreiben. Nach meiner Entlassung machte es keinen Sinn mehr, Wände zu beschmieren. In meinen Augen hatten sich die Dinge verändert. Ich dachte nur noch an Flucht. Schlug mich nach Jordanien durch und gelangte von der Hafenstadt Al-Aqaba aus auf dem Seeweg nach Ägypten. In dem alten schmutzigen Schiff waren Hunderte von ägyptischen Arbeitern, die neue Fernsehgeräte, Videorekorder und Kleider mitschleppten. Dazu auch einige Iraker, die möglichst weit von ihrer Heimat weg wollten. Die Bordwände waren geradezu übersät mit Aufschriften. Ich verbrachte die Stunden nicht damit, aufs Meer zu schauen, sondern alle diese Aufschriften zu lesen. Die schönste, aber zugleich auch traurigste war: »Herzlich willkommen in Afrika, wer reinkommt ist verloren, wer rauskommt neugeboren.«

Die Aufschriften veränderten sich stetig. Ein Mal fand ich überall meinen Namen. Es war in einem Dorf an der Grenze zwischen Tschad und Libyen. Es hieß das Dorf des Stammes Garar. Für eine kurze Zeit fand ich dort Arbeit. Die muslimischen Einwohner aus dem Tschad suchten dringend jemanden, der ihre Kinder den Koran lehrte. Zwar gab es im Stamm eine Menge Leute, die Arabisch beherrschten, aber die Dorfältesten waren der Ansicht, ein echter Araber als Lehrer sei besser. Das Dorf hatte kein Schulhaus. Nur ein Zelt, in dem die Kinder auf dem Boden saßen. Und eine Tafel, mit Holzpflöcken und Steinen im Boden verankert. Dazu ein Stuhl für den Lehrer. Doch das störte mich eigentlich weniger. Was mich viel mehr störte, war die Tatsache, dass vom ersten Tag an alle, die meinen Namen hörten, anfingen zu lachen. Auch die Kinder riefen ständig »Mister Rasul« hinter mir her und grinsten dabei frech. Nach dem ersten Spaziergang durchs Dorf verstand ich einen Teil des Rätsels. Überall, an jeder Wand stand mein Name: im Tal, auf dem Hügel, auf jedem Stein. Meine Begleiter erklärten geheimnisvoll, dieser Name sei schon lange Zeit überall im Dorf angeschrieben und habe mit mir nicht das Geringste zu tun. Mir kam das unheimlich und mysteriös vor. Der Schuldirektor beschwichtigte mich lächelnd:

»Die Menschen in diesem Dorf glauben, dass in der Zukunft ein Held kommt. Er heißt Rasul und wird die Welt verändern.«

»Wollen Sie mich verarschen?«

»Nein. Das ist die Wahrheit. Aber das hat mit dir nichts zu tun, weil der Held aus Tschad stammt und nicht aus Arabien.«

Ich glaubte ihm kein Wort, aber die Inschriften schienen wenigstens etwas Aufbauendes zu bedeuten. Trotzdem sollte sich der Name »Rasul« auf den Steinen des Tales vermehren. Ich dachte mir nichts dabei. Held ist ja nicht unbedingt der schlechteste Titel. Als ich nach drei Monaten meine Arbeit beendet hatte und nach Tripolis zurückkehren musste, verabschiedete ich mich von den Menschen, die sehr freundlich zu mir gewesen waren. Der Direktor der Schule begleitete mich zum Auto und schmunzelte:

»Jetzt kann ich dir ja sagen, warum dein Name überall bei uns in der Gegend zu finden ist.«

»Aber gern, nur zu.«

»Das hat mit Helden nichts zu tun und auch nicht mit dir.«

»Sondern?«

»Vor einiger Zeit kam ein Arabischlehrer aus Libyen hierher, der hieß auch Rasul. Die Jungs des Stammes mochten ihn sehr gern und verbrachten ihre ganze Freizeit mit ihm. Als er ging, schrieben einige vor Sehnsucht überall seinen Namen hin.«

»So gut war er?«

»Ja, hm, er war schwul.«

Die Wandaufschriften waren im Osten und Westen der Erde so unglaublich unterschiedlich, dass ich manchmal nicht genau verstehen konnte, ob sie nun positiv oder negativ gemeint waren. Mein nächster Halt war die Türkei. Die Grenze zu Griechenland musste ich illegal und zu Fuß hinter mich bringen. Es war bereits der dritte Versuch, der am Ufer des Ebrus endete. Im Ebrus, dem »Fluss der Verdammung«, wie die Flüchtlinge ihn nannten, haben viele ihr Leben verloren, als sie ihn schwimmend Richtung Griechenland überqueren wollten. Ich erinnere mich an einen jungen Perser, den eine gewaltige Welle mit in die Tiefe riss. Er tauchte nie wieder auf. Man kann diesen Fluss zu Recht als »internationalen Wasserfriedhof« bezeichnen. Ihm haben unzählige Menschen verschiedenster Nationalitäten ihre Körper und ihre Seelen überlassen. Ihnen habe ich folgende Inschrift gewidmet, an einem Baum auf der türkischen Seite:

»Bitte beachten Sie, das hier ist der Ebrus, der internationale Wasserfriedhof und Treffpunkt der Kulturen.«

Jedes Mal saß ich an seinem Ufer und träumte davon, die andere Seite zu erreichen. Ein wahrhaftiger Fluch, dieser Grenzfluss. Drei Mal wurde ich von der türkischen Polizei festgenommen. Beim dritten Mal saß ich neben einem Baum, als unser

Schlepper das Schlauchboot herrichtete. In den Baum geritzt eine arabische Schrift: »Hier ist der Platz, an dem die Sonne im Osten untergeht und im Westen aufgeht.« Leider hatte ich nicht die Zeit zu überlegen, was der Schreiber damit meinte. Ein rohes, stimmgewaltiges »Durmak, polis – Stehen bleiben, Polizei« riss mich aus meinen Gedanken.

Beim vierten Versuch gelang es mir endlich, den Fluss der Verdammung zu überqueren, aber trotzdem musste ich wieder zu ihm zurückkehren. Auf der griechischen Seite des Flusses überraschte die Polizei den Flüchtlingstrupp. Sie brachten uns ins Gefängnis nach Komotini. In dem alten, schmutzigen, feuchten und stinkenden Gefängnis saß eine Unmenge von Flüchtlingen ein. An der Wand stand in englischer Sprache: »Welcome to Istanbul«. Ich fragte einen Kurden neben mir:

»Wir sind doch in Griechenland, oder?«

»Ja, sind wir.«

»Was bedeutet dann dieser Satz?«

»Nichts. Ich glaube, die Polizei hat den geschrieben, um uns zu sagen, dass wir in die Türkei abgeschoben werden. Sie machen sich über uns lustig.«

»Werden wir wirklich abgeschoben?«

»Ja.«

»Warum?«

»Weil sie alle, die sie vor Thessaloniki festnehmen, wieder in die Türkei zurückschicken. Aber wenn sie einen hinter Thessaloniki festnehmen, dann schicken sie den nach Athen.«

»Ist das Gesetz?«

»Es ist Tatsache!«

Es ist mir nach Jahren endlich gelungen, das Mittelmeer zu überqueren und Deutschland zu erreichen. In Deutschland schickte mich die Polizei nach Bayreuth. Dort blieb ich eine Weile im Asylantenheim. Das Heim war voll von Asylbewerbern aus verschiedenen Ländern. Die Zimmer, in denen wir wohnten, waren zwischen zwanzig und dreißig Quadratmeter groß und für vier bis sechs Leute vorgesehen. Ich schlief in einem Zimmer zusammen mit drei Männern, die ebenfalls aus dem Irak stammten. Die Wände waren voll von Inschriften und Malereien. Einer meiner Mitbewohner erzählte mir, im Nachbarzimmer stehe ein Gedicht an der Wand, das unglaublich hoffnungslos und grausam klinge. Sein Titel: »Chronik der verlorenen Zeit«. Ich besuchte die Nachbarn und las das Gedicht, das mit diesen Zeilen endet:

»In der siebten Wunde
sitze ich neben den Friedhöfen
und warte auf meinen Sarg,
den die Vorbeigehenden tragen werden.«

Ich brachte kein Wort heraus. Ging in mein Zimmer zurück und konnte es nicht glauben. Das Gedicht stammte von mir. Was war das für eine Welt? So viel ich auch nachdachte, mir fiel niemand ein, der das hier hingeschrieben haben konnte. Wohl einer meiner vielen Freunde, die ich auf meiner langen Flucht kennengelernt hatte. Ich schrieb öfter Gedichte, die ich Freunden gab, damit sie diese für mich aufbewahrten. An diesem Tag beschloss ich, dem ersten Gedichtband, den ich je veröffentlichen würde, den Namen dieses einen Gedichtes zu geben. Und das habe ich dann auch getan.

Von Deutschland aus unternahm ich die erste Reise meines Lebens als Tourist. Vorher war ich vier Jahre lang nur als Flüchtling unterwegs. Meine bayerische Freundin Sara lud mich ein, mit ihr nach Italien zu reisen. Wir fuhren mit ihrem Auto und einem Zelt nach Verona. Eine schöne, kleine Stadt mit dem Elternhaus von Julia, der Geliebten des Romeo. Ich freute mich riesig, diesen geschichtsträchtigen Platz besuchen zu können. Das Eingangsportal und die Wände des Durchganges über und über bedeckt mit den Signaturen ganzer Heere von Verliebten aus aller Welt. In diesem Moment erinnerte ich mich an die Geschichte vom Turm zu Babel. Und plötzlich verstand ich, was mein Großvater gemeint hatte, als er mir schmunzelnd sagte: »Genau hinschauen.« Die Sprachen der Welt trafen sich wieder an einem anderen Platz, nämlich ganz genau unter Julias Balkon. Nicht etwa, weil Gott erzürnt war, sondern wegen der Liebe. Die Verliebten schrieben ihre Liebesbotschaften in allen nur erdenklichen Farben auf, was die Wände einem großen Fresko gleichen lässt. In diesem Moment kamen mir arabische Schriftzüge in den Sinn. Ich suchte und fand die wunderbaren Worte: »Habibti, Habibi – meine Geliebte, mein Geliebter«. Ich suchte weiter und fand wieder eine arabische Aufschrift. Der Mund blieb mir offen vor Entsetzen. Ich stand starr, als hätte mich eine Schlange gebissen. Da stand es, in klarer und deutlicher Handschrift: »Ihr Frevler, was für eine Rückkehr steht euch bevor, die Hölle ist eure Herberge und schrecklich die Fahrt.«

Meine Freundin schrieb unsere Namen zwischen all die anderen und fragte:

»Und, was hast du gefunden? Was bedeutet diese arabische Schrift?«

»Wie üblich – Liebe!«

5
Rette mich aus der Leere

Das liebevolle Gesicht meines Großvaters Hussein war wie die Mauern unseres Hauses, alt und runzlig. Wie ein verwitterter Stein am Strand. Oder das Gesicht eines ewigen Matrosen. Er hatte sein Augenlicht verloren, war aber außerordentlich groß und stark. So stark, dass ihn nicht einmal eine Horde ausgewachsener Kerle hätte niederstrecken können. Zumindest war ich davon felsenfest überzeugt. Er sagte, das sei seine Natur. »Eine Laune Gottes, oder hast du was dagegen?«, lachte er jedes Mal, wenn man ihn darauf ansprach. Er starb, als ich noch die Mittelschule besuchte.

Bis heute erinnere ich mich an einen Tag: Ich spielte im Hof unseres Hauses mit meinen Brüdern Fußball. Ich schoss den Ball in Richtung Tor, doch anstatt zu treffen, landete er in Reichweite meines Großvaters. Er hob ihn auf und grinste: »Den kriegst du nicht mehr!«

»Bitte, Opa, ich bin sowieso schon am Verlieren!«

»Wollt ihr ihn wirklich wieder? Dann müsst ihr ihn euch eben holen! Auf geht's, seid Männer! Versucht es doch!«

Wir waren drei Burschen zwischen zehn und achtzehn Jahren. Trotzdem gelang es uns nicht, diesem achtundneunzig Jahre alten, blinden Mann den Ball abzuluchsen. Mit seinen kräftigen Riesenarmen umschlang er uns alle drei. Wir konnten uns nicht mehr bewegen. Daraufhin brach er in schallendes Gelächter aus und befahl scherzend: »Komm näher zu deinem Opa, näher an meine Nase! Ich will dich riechen!« Das tat er oft. Ich meine, mich beriechen. Er behauptete immer, mein Geruch erinnere ihn an viele Menschen, mit denen er im Laufe seines ereignisreichen Lebens zu tun gehabt hatte. Mein Geruch erinnere ihn besonders an Jabar, seinen Bruder und unseren Großonkel, den ich nie kennenlernte. Wenn es um Jabar ging, war Hussein, der starke Mann, ein schwacher Mann. Kaum sprach man von ihm, von Jabar, fing Hussein an zu weinen. Er schloss ihn täglich in seine Gebete ein: »Allah, Du Allmächtiger, bringe uns Jabar zurück, wie Du Josef seinem Vater David zurückgebracht hast.« Aber er wollte niemandem erzählen, was mit Jabar geschehen war.

In meiner Familie hieß es, Jabar sei nach Indien oder in den Iran gegangen und nicht zurückgekommen. Aber warum? Es hat lange gedauert, bis ich zumindest einen Teil der Geschichte erfahren habe. Man erzählte, alles sei zu Beginn des 20. Jahrhunderts passiert, im Südirak. Jabar soll in eine schwarze Dienerin verliebt gewesen sein, deren Herkunft niemand so richtig kannte. Ihr Name war Nerzes. Es wurde gesagt, sie sei außerordentlich hübsch gewesen. Jabars Vater, mein Urgroßvater, war damals der Führer unseres Stammes und strikt gegen eine Heirat seines Sohnes mit einer schwarzen Dienerin. Jabar aber hatte nicht die Absicht, sich dem Willen seines Vaters zu beugen, und beschloss, auch ohne dessen Einverständnis Nerzes zur Frau zu nehmen. Ein paar Tage später vernahm man in aller Frühe die schrillen Schreie einiger Frauen, die zum Brunnen gegangen waren, um Wasser zu holen. Dort hatten sie Nerzes gefunden, neben der Quelle auf dem Boden liegend. Irgendjemand musste sie umgebracht und ihre Leiche dort abgelegt haben. Noch am selben Tag soll Jabar auf sein Pferd gestiegen und mit dem Wind geflogen sein. Seitdem hat ihn niemand mehr gesehen. Wo ist er hin, und wer hat die arme Nerzes getötet? Niemand aus unserem Stamm hat je darüber gesprochen, geschweige denn versucht, den Mörder zur Rechenschaft zu ziehen. Ich für meinen Teil bin mir aber ganz sicher, es kommt nur einer in Frage, diese abscheuliche Tat begangen zu haben: mein Urgroßvater.

Der zweite, der unserer Familie entfloh, war meine Wenigkeit, wenn auch nicht wegen einer Frau.

Es begann in den Achtzigerjahren während des Iran-Irak-Krieges. Ich erinnere mich ganz genau: Meine Schwester sprang mit verheulten Augen unter die Treppe, als der Alarm losging. Zum ersten Mal sah ich so viele Flugzeuge auf einem Haufen. Meine Mutter glaubte, es seien alle verfügbaren Dämonen, Drachen, Schlangen und bösen Geister auf einmal gekommen! Ich hatte keinerlei Zweifel daran. Die Flugzeuge flogen sehr tief. Ich konnte sogar das Gesicht eines Piloten durch die Scheibe sehen. Abwehrgeschosse stiegen in den Himmel. Detonationen, Raketen und Rauch überall. Vom Militärstützpunkt, den die Armee kürzlich nicht weit von unserem Viertel eingerichtet hatte, wurden Raketen in Richtung der Flugzeuge abgefeuert. Ihr ohrenbetäubender Lärm ließ die Häuser des Viertels erzittern. So ging das ein paar Minuten, bis erneut die Alarmsirene losheulte.

»Der Angriff ist vorbei!«, verkündete mein Vater.

Das Gesicht meiner Schwester Farah wurde schlagartig weiß. Sie verdrehte ihre Augen. Dann sank sie bewusstlos zu Boden. Mein Vater befahl barsch:

»Schütt ihr einen Eimer Wasser ins Gesicht, diesem Weichei von einer Frau!«

»Was ist los?«, fragte ich ihn fassungslos.

»Na, was schon! Krieg!«

»Mit wem denn?«

»Mit der Fotze deiner Tante, mit dem Iran.«

Wir schalteten den Fernseher ein. Der damals frisch gekürte irakische Präsident erschien auf dem Bildschirm und verkündete mit pathetischer Stimme: »Fluch dem Feind! Tod und Verderben dem Feind!« Nach seiner Rede kam die erste Kriegserklärung. Der Sprecher begann mit den Worten »Verflucht seien unsere Feinde!«, gefolgt von einem Lied ähnlichen Titels, »Fluch, Fluch,

Fluch«. Und schließlich kündigte er noch einen Kriegsfilm an: »Fluch des Krieges«.

Dieser Irak-Iran-Krieg war nach acht Jahren vorbei, aber die anderen Kriege noch nicht. Der nächste Krieg kam. Das war im Jahr 1991, in dem sich dreiunddreißig Länder der Welt in der arabischen Wüste versammelten, um Kuwait von der irakischen Invasion zu befreien. Bagdad ähnelte in diesem Krieg einer Geisterstadt. Kein Licht und nur Angst vor Raketen, Bomben und unerwarteten Überraschungen. Ich erinnere mich an den ersten Kriegstag. Der Angriff begann um Mitternacht. Ich hörte nur die Schreie meiner Mutter und meiner Schwestern und große Detonationen, die das Haus erzittern ließen. Wir rannten schnell und versteckten uns im Schlafzimmer meiner Eltern im ersten Stock. Meine Mutter versuchte alle Löcher im Fenster mit Kleidern zu verstopfen: »Wenn die Amerikaner chemische Waffen benutzen, dann kommt so das Gas nicht ins Zimmer!«

Der Angriff dauerte die halbe Nacht. Am Morgen war alles vorbei. Nur noch vereinzeltes Gewehrfeuer hier und dort. Viele Familien nutzten die Helligkeit des Tages und flohen aus Bagdad. Mein Vater war der Ansicht, auch wir sollten weggehen. Am selben Tag flohen wir nach Kerbala. Einer meiner Brüder, Ilyas, arbeitete und lebte dort mit seiner Frau und seinen Kindern. Am Telefon meinte er, in Kerbala gäbe es keine wichtigen militärischen Anlagen. Dort angekommen, herrschte selbstverständlich auch Krieg, aber man merkte das längst nicht so heftig wie in Bagdad. Mein Bruder lebte nicht in der Stadtmitte, sondern außerhalb, in einem Viertel namens Al-Askary. Das Viertel war groß und lag am Rand der Kerbala-Wüste. Es gab dort zwar keinen Strom, aber wir hörten die grausamen Nachrichten über ein batteriebetriebenes Radio. Wir waren erleichtert, außerhalb Bagdads zu sein.

In der Stadtmitte, wo sich die Moscheen des heiligen schiitischen Imams Al-Hussein und seines Bruders Al-Abbas befanden, lebten unendlich viele Tauben in den Höfen der Moscheen, sie hatten sogar unter deren goldenen Kuppeln ihre Nester gebaut. Es bereitete mir allergrößtes Vergnügen, täglich zu den Moscheen zu gehen und die Tauben anzuschauen, was meine Familie zu glauben veranlasste, ich sei religiös geworden. Und ganz so falsch lagen sie damit gar nicht. In dieser Zeit hatte ich tatsächlich so etwas, was man eine religiöse Phase nennen könnte. Auf dem Weg zu den Moscheen saß ich oft eine Zeit lang im Innenhof vor dem Grab Al-Husseins und lauschte andächtig den Bittgebeten der Leute, besonders denen der Frauen: »Gott beende diesen Krieg!«, »Errette uns, Barmherziger!«, »Oh Gott, im Namen Deines heiligen Imams Al-Hussein, bring mir meine Kinder heil aus dem Krieg zurück!« Ich beobachtete, wie sie weinten und nach dem Gebet ruhiger wurden, als wären jetzt ihre Probleme beseitigt.

Kurze Zeit später war der Krieg zu Ende. Kuwait war von den Irakern befreit, und die irakische Armee kehrte in den Irak zurück. Meine Familie nach Bagdad.

Nach dem Krieg begann das Zeitalter des Embargos, das die Siegermächte über den Irak verhängten. Die Iraker litten infolgedessen Hunger, es fehlte an Medizin und vielem mehr. Die Diktatur wurde härter. Widerstand schien schier unmöglich. Ich wurde aus politischen Gründen inhaftiert und später wieder freigelassen. Danach gab es für mich keine neuen Wege mehr in meinem Land, nur ein großes Nichts, und das überall.

In mir begann sich eine Art Krankheit festzusetzen. Ich weiß nicht genau, wie ich das nennen soll. Ein unbekannter Dichter schrieb im Mittelalter einmal folgenden Vers: »Ich öffnete mein Auge, und als ich es geöffnet hatte, sah ich viele Leute, aber dennoch sah ich keinen.« Ich fiel in diesen Keinen-Zustand, tauchte in eine große Leere. Und konnte einfach nicht mehr zurück. Seitdem gab es in meinem Leben nur noch zwei Möglichkeiten:

die Leere zu bekämpfen oder meinem Leben ein Ende zu setzen. Himmel und Erde waren trostlos und leer. Ich beschloss, aus dem Irak wegzugehen. Konnte es nicht mehr ertragen, in der Leere der Heimat das Leben in den traurigen Straßen anzuschauen.

Den letzten Tag im Irak verbrachte ich mit Abba und Abd, die ich seit meiner Kindheit kannte. Ich erzählte ihnen von meinen Plänen, den Irak zu verlassen. Abba und Abd nahmen mich an den Händen und führten mich zu einem Platz namens »A'Sade«, nicht weit von unserem Viertel, wo es nur gelbe Erde gab und alle Müllautos Bagdads geleert wurden. Auf dem A'Sade-Platz angekommen, meinten sie: »Gott ist bestimmt im Himmel! Nun lass uns für ihn tanzen!« Wir tanzten wie Verrückte, ich fing sogar an zu schreien. Danach fühlte ich mich frei wie eine Taube, die gerade gelernt hatte zu fliegen.

Seitdem wiederholte ich ständig das Bittgebet, das ich in der Al-Hussein-Moschee von einem alten Mann gehört hatte und das mir tief im Herzen geblieben war. Der alte Mann hatte mir erzählt, es stamme von Ali Ibn Al-Hussein. Dieser Ali ist der vierte große Imam der Schiiten. Nach der Ermordung seines Vaters Al-Hussein, seiner Familie und dessen Freunden durch den Kalif Yazid im Jahr 680 in Kerbala sei er den Rest seines Lebens in einem Zimmer gesessen und habe nur noch gebetet. Er habe auch ein Buch verfasst, die »A'Sahifa-A'Sadschadiyya – Blätter des sich Niederwerfenden«, in dem ausschließlich Bittgebete zu finden seien. Deswegen habe man ihn schließlich selbst »A'Sadschad – Der sich Niederwerfende« genannt. Diesem Ali A'Sadschad und seinen Blättern verdanke ich das einzige Bittgebet meines Lebens:

»Gott, rette mich aus der Leere!«

Die erste Station auf meiner langen Reise war Amman in Jordanien. Doch auch dort waren keine Himmelswege zu finden, sondern nur andere, die ich nicht so einfach beschreiben kann.

Wege einer ganz bestimmten Sorte. Einen von ihnen nenne ich Eintritt ins Exil. Die ersten Tage, die man im Exil verbringt, sind sehr gefährlich. Man denkt nicht mehr mit dem Kopf, sondern mit dem Herzen, oder genauer noch, mit der Fantasie. Der Kopf gerät in Vergessenheit. Man denkt oft an das Gesicht der Mutter, der Geschwister und der Freunde. Sie tauchen überall auf, in einem Buch, bei der Arbeit, am Himmel. Man fängt sogar an, Lieder aus der Heimat zu hören. Zu Hause hätte man sich unter keinen Umständen so verhalten, weil man diese Lieder für banal hielt. Essen, Bücher, Kleider und Menschen aus der Heimat gewinnen plötzlich an Bedeutung. Das Exil beschönigt die Heimat, stellte ich später fest.

Ich glaube, mein Problem bestand darin, dass ich nicht freiwillig gereist bin. Ich war kein Tourist. Nur ein Flüchtling. Eine fliehende Taube, die vollkommen blind war. Sie konnte zwar fliegen, wusste aber nicht genau, wohin. Ich war gezwungen, meine Heimat für immer zu verlassen, so viel stand fest. Aber eigentlich wusste ich doch gar nicht, was ich woanders tun sollte! Ich musste nur überleben und damit genug. Der Eintritt ins Exil war eine lange Straße in der Leere, die ich das ganze Leben bekämpfen musste. Die Sehnsucht nach der Heimat wird im Laufe der Zeit schwächer. Je tiefer man im gegenwärtigen Leben in die Leere des Exils eindringt, desto mehr verblasst die geschönte Vergangenheit. Die Leere aber ist das Einzige, was einem als ewiger Begleiter bleibt.

»Gott, rette mich aus der Leere!«

In Amman versuchte ich, Kontakte mit Leuten der irakischen Opposition zu knüpfen, um das Gefühl der Leere zu mildern. Ich landete zuerst bei irakischen Exilpolitikern und Schriftstellern, die sich in einem Café in Amman jeden Nachmittag trafen. Als ich sie mir näher angeschaut hatte, konnte ich es nicht glauben. Über die Hälfte waren Generäle, Dichter und Schriftsteller der irakischen Diktatur in den Achtzigerjahren gewesen. Früher hatte ich sogar einige von ihnen im Fernsehen gesehen, wie sie Gedichte oder Reden für den Diktator vortrugen. Einer, der sich selbst als wichtigen Dichter der irakischen Gegenwartsliteratur bezeichnete, trug einmal stolz ein Gedicht vor, das er für den jordanischen König in einer jordanischen Zeitung veröffentlicht hatte. Vorher hatte er mehrere Gedichtbände herausgebracht, die allein dem irakischen »Führer« und seinen Kriegen gewidmet waren. Ich erinnerte mich sofort an den alten arabischen Dichter: »… aber dennoch sah ich keinen …« Sie waren die totale Pleite. Was aber trieben sie im Exil? Ein Dichter namens Akram mit sehr traurigen, schwarzen Augen und einer lauten, tiefen, gebrochenen Stimme urteilte mit klaren Worten:

»Saddam und seine Regierung sind nach dem Krieg von '91 schwach geworden, und der irakische Dinar ist seit dem Embargo keinen Pfifferling mehr wert. Deswegen sind plötzlich viele hochrangige Militärs und Intellektuelle ins Ausland gegangen und Oppositionelle geworden. Die Schriftsteller schreiben jetzt für andere Diktatoren in anderen arabischen Ländern und verdienen damit einen Haufen Geld. Nebenbei schreiben sie für irakische Oppositionsparteien und verdienen einen weiteren Haufen Geld. Die Generäle bekommen Geld von den Amerikanern und anderen Ländern, die ein Problem mit Saddam haben, damit diese Generäle und Schriftsteller diese Länder auf ihre Art und Weise unterstützen, besonders gegen die eigene Opposition, und so weiter, und so fort …«

»Das glaube ich nicht!«

»Schau nur nach Syrien. Die Diktatur in Damaskus ermordet die Kommunisten im eigenen Land. Die irakischen Kommunisten unterstützt sie aber. Es ist ein großes Spiel!«

Es ist wohl leicht zu verstehen, dass ich unter solchen Umständen keine allzu große Lust verspürte, bei diesen Politikern und Literaten zu bleiben, teilzunehmen an diesem großen Spiel.

Akram meinte, es sei am besten wegzugehen, irgendwohin, wo es keine Lügen gibt.

»Aber wohin?«

»Nach Niemandsland …«

»Wo ist das genau?«

»Keine Ahnung, wahrscheinlich im Bermudadreieck!«

Akram blieb eine Weile bei seinen hochrangigen »Freunden«, dann floh er, zwar nicht ins Bermudadreieck, aber in den Libanon. Einige Jahre später hörte ich in den Nachrichten, er habe sich umgebracht. Wahrscheinlich konnte er sich nicht von der Leere befreien oder sie bekämpfen; deswegen wählte er die wohl älteste und einfachste Methode: den Freitod.

Ich vergaß die »Hochrangigen« schnell und versuchte, in Amman neue Wege zu finden. Doch davon gab es nicht viele. Ich schaffte es durch harte Arbeit, Lesen und Schreiben, meine Sehnsucht zu besänftigen, um nicht oft das Bedürfnis aufkommen zu lassen, mich mit anderen Irakern treffen zu müssen, und konnte so Nachrichten aus dem Irak einigermaßen aus dem Weg gehen. Auch meine Familie rief ich deswegen nur ein Mal im Monat an. Letztlich half es mir, mutterseelenallein in die jordanische Wüste hinauszuwandern und dort laut zu schreien. Schreien ist das beste Heilmittel gegen die Leere, aber leider nur ein sehr kurzlebiges. Die Leere der Erde und des Himmels war auch in Jordanien immer noch bedrückend. Hierzubleiben war nicht die beste Lösung. Die nächste Möglichkeit war für mich Libyen. Dort, so hörte ich, konnte man sich wenigstens in der Wüste frei fühlen, weil sie besonders groß war. Also kaufte ich eine Fahrkarte und machte mich auf den Weg dorthin, ohne daran zu denken, was ich dort eigentlich sollte.

»Gott, rette mich aus der Leeeeeeeeeeeere!«

In Libyen beschloss ich, bald weiter nach Westen zu fliehen. Das Leben in der arabischen Wüste unter einer anderen, afrikanischen Diktatur war nicht zu ertragen. Ich bekam alles hautnah mit, was dort getrieben wurde. Dieses Land bestand aus einem einzigen Mann oder besser einer einzigen Familie, die alle Macht in der Hand hielt und die Schicksale der Menschen bestimmte. Ein Land, so mit dem Sand der Grausamkeit angefüllt, dass selbst ein Kamel in der Leere dieses Landes die Orientierung verliert. Es braucht mehr als die Geduld eines Kamels, um das alles ertragen zu können. Diese Geduld hatte ich sogar, aber es war wohl doch nicht genug.

Ich wollte nicht mehr hierbleiben. Eigentlich wollte ich nirgends mehr bleiben, wo in den Straßen die Bilder irgendwelcher Präsidenten herumhingen. Die Länder, in denen meine Füße künftig landen sollten, hatte ich in zwei große Gruppen unterteilt: Zur ersten gehörten diejenigen, in denen es nur Bilder und Plakate der jeweiligen Führer und ihrer banalen Parolen gab, wie eben auch in Libyen. Zur zweiten Gruppe gehörten die Länder, in denen eben das nicht der Fall war. Da wollte ich hin. Ich hörte immer, so etwas gäbe es nur im Westen. Also nahm ich die erste Etappe meiner großen Reise in die westliche Hemisphäre in Angriff.

Wir waren drei Männer, die sich in Benghazi kennengelernt hatten: ein Sudanese, ein Libyer und ich. Izhaq, der Sudanese, wollte heiraten, eine Familie gründen und in Ruhe leben. Abu-Agela, der Libyer, wollte Berge, Wälder und Schnee kennenlernen und »eine blonde Frau, ein Haus im Wald und so viel Geld wie möglich besitzen«. Ich selbst wusste nicht so genau, was ich wollte. Doch ich wünschte nichts sehnlicher, als meine Leere zu überwinden und mich möglichst weit von allen Gefahren zu entfernen.

Izhaq war unser Schlepper. Natürlich war er kein richtiger

Schlepper, sondern Lehrer für französische Sprache und Fischer. Er meinte: »Hätte ich gewusst, dass mein Studium nur ein Stück Papier wert sein würde, wäre ich früher Fischer geworden.« Weil in Libyen das Interesse an französischer Sprache äußerst gering war, arbeitete er seit seiner Ankunft in Benghazi als Fischer auf dem Boot eines libyschen Unternehmers. »Ich will nicht mehr bleiben. Ich gehe langsam ein hier«, sagte er jedes Mal, wenn ich ihn traf.

Abu-Agela, der vor seinem Stamm geflohen war, wollte auch nicht mehr Sandkorn in der Sahara sein und von seinem Stamm ausgelacht werden. Eines Tages war er mit anderen Burschen in die Wüste zum heiligen Stein gegangen, wo sie sich einmal in der Woche am Lagerfeuer trafen, um zu singen und zu tanzen. »Das ist ein wunderbarer Stein! Man sagt, er sei der allererste Stein und mit Adam vom Himmel gefallen. Er ist groß, weiß und leuchtet in der Nacht. Stell dir das doch mal vor: ein weißer Stein und die schwarze Haut der jungen Burschen in der gelben Wüste, und dann unter schwarzem Himmel zu den wilden Schlägen der Trommeln um ein Lagerfeuer tanzen und schreien?!«

An jenem Tag ging er nicht mit den Burschen zum Stein. »Ich sah Ouarde. Sie war eine echte Ouarde, eine echte Blume. Sie schaute mich an, als wäre ich der schönste Bursche der Welt. Ich kannte Ouarde nicht gut, aber ich wusste, dass sie bei unserem Stamm keinen guten Ruf genoss. Doch sie war hübsch, sogar, verdammt noch mal, sehr hübsch. Jeder sagte, sie treibe es mit dem Stammesführer, obwohl der zwei Frauen und elf Kinder hatte. Ich dachte eigentlich nur an Spaß mit ihr. Doch sie hat mich verführt. Ich ging hinter ihr her bis zu einem Tal, weit weg von unserem Dorf. Dort versteckten wir uns, und es geschah. Für mich das erste Mal! Einen Monat später kam der Führer des Stammes und eröffnete mir, Ouarde sei schwanger, und sie behaupte, ich sei der Vater des Kindes. Ich wusste nicht, was ich antworten sollte. Wenn eine Frau so einen Unsinn behauptet,

77

dann gibt es nichts zu sagen. Alle Männer hatten ihre Hände am Gewehr und redeten von Ehre. Ich aber wusste genau: Dies ist ein Trick, und zwar vom Führer selbst. Ich konnte gar nicht der Vater sein. Ich bin ja schließlich nicht blöd. Wie hätte sie schwanger werden sollen? Ich hatte sie doch nur in den Arsch gefickt! Das war todsicher ein Trick. Aber ich musste sie heiraten. Es gab keine andere Möglichkeit. Heiraten oder erschossen werden. Zwei Tage nach meiner Hochzeit haute ich ab.«

Abu-Agela und ich standen täglich vor dem Mittelmeer, und jedes Mal wiederholte er denselben Satz.

»Es ist sauschwer, dieses Meer zu überqueren.«

»Schau, dieses Schiff hier, wohin es wohl fährt? Was glaubst du?«

»Ja, schau genau, wohin? Dort ist Italien und dort ist Malta und da hinten ist Holland.«

»Aber die Polizei?«

Abu-Agela kannte Izhaq, und der schloss sich uns an. Wir saßen täglich mit unseren Landkarten und planten unsere Flucht nach Italien. Mit Izhaqs Boot sollte die Reise beginnen. Abends gingen wir zum Hafen. Es war Freitag, und an Feiertagen glich die Stadt einer Wüste. Kaum Menschen auf den Straßen oder im Hafen. Wir stiegen ins Boot. Vom Meer aus blickte ich auf Benghazi zurück. Es war klein, und seine Lichter verschwanden ganz langsam. Plötzlich war es nicht mehr da.

Das Boot trieb dahin.

Ich war müde und aufgeregt, aber ich konnte trotzdem schlafen. Als ich wieder aufwachte, blickte ich in Izhaqs Gesicht.

«Mann, du hast sechs Stunden geschlafen!«

Um uns herum Totenstille, abgesehen von den starken Wellen, die hart an das Boot schlugen. Plötzlich zischte Izhaq:

»Da ist Licht!«

»Ein italienisches Schiff?«

»Keine Ahnung! Ich bin doch kein Hellseher!«

Izhaq stammelte nur noch: »Scheiße, libysch!«

Wir verbrachten einige unerträgliche Tage im Gefängnis des Hafens von Benghazi. Wenn Abu-Agela mit seinem muskulösen Körper nicht gewesen wäre, wer weiß! In der nach Feuchtigkeit und Schimmel stinkenden Zelle waren mehr als zwölf Personen zusammengepfercht. Alle mit ganz besonderen Delikten auf dem Kerbholz: Mord, Totschlag, Vergewaltigung und vieles mehr. Einer von ihnen, übersät mit Tätowierungen, versuchte mich und Izhaq anzumachen. Abu-Agela aber schlug ihn nieder und baute sich vor ihm auf wie ein Monster. Von diesem Moment an ließen sie uns in Ruhe. Ihren Spaß bekamen sie aber doch noch. Sie fanden schließlich zwei andere Typen für ihre heißen Gruppensexspiele. Da die beiden damit aber recht zufrieden schienen, hielt Abu-Agela sich zurück und ließ sie gewähren.

Zu guter Letzt glaubte uns der Polizeirichter doch, wir hätten nur eine kleine Bootsfahrt rund um Benghazi machen wollen. Trotzdem mussten wir einen Zettel unterschreiben, auf dem wir aufgefordert wurden, uns nie wieder in Hafennähe aufzuhalten. Izhaq verlor seine Arbeit. Nach unserer Entlassung beschloss Izhaq, nach Südafrika zu gehen, aber nicht mehr übers Meer, sondern zu Fuß durch die Wüste. Natürlich auch illegal. Abu-Agela wollte nach Tunesien, um von dort weiterzukommen.

Am Tag der Entlassung ging ich abends zum Strand und schaute den Himmel, das Meer, die Schiffe und die Möwen an. Ich schloss meine Augen und begann zu schreien, schrie aus vollem Leib und voller Seele. Dann breitete ich die Arme aus, wie eine Taube ihre Flügel, und tanzte am Strand. Wie eine Welle oder eine Taube, der man gerade den Garaus gemacht hat. Dabei schrie ich wie ein wutentbranntes Kamel. Jedes Mal, wenn etwas schiefging, tanzte und schrie ich. Obwohl nicht gerade ein guter Tänzer, tanzte ich leidenschaftlich gern und fühlte mich dabei wie Alexis Sorbas. Jedes Mal, wenn ich keine Wege, keine Träume, keine Hoffnung mehr hatte, und jedes Mal, wenn die Leere die Welt um mich herum einschloss. Jedes Mal fühle ich mich danach frei und neugeboren. Wie eine Möwe, der jeder Weg offensteht. Wie ein Adler, der am Himmel schwebt. Ich tanzte am Strand von Benghazi, begleitet von meinem Schreien. Dann begab ich mich wieder auf den Weg nach Hause. Nach Hause? Was war das eigentlich? Ein kleines Loch unter der Treppe eines Gebäudes, zehn Quadratmeter vielleicht. Der Vermieter erlaubte Obdachlosen wie mir, für wenig Geld darin zu wohnen. In dieser Nacht schlief ich gut und beschloss, mit Abu-Agela nach Tunesien zu fahren.

»Gott, rette mich aus der Leere! Gott, rette mich aus der Leere! Gott, rette mich aus der Leere ...«

An der Grenze zwischen Libyen und Tunesien, in Ras-Ajdir, trifft man zwei verschiedene Jahrhunderte gleichzeitig. Auf der libyschen Seite blickt man ins 18. oder 19. Jahrhundert, auf der tunesischen ins 20. Auf der Fahrt von Tripolis nach Ras-Ajdir betrachteten wir durchs Fenster unseres Sammeltaxis die Landschaft: alte Autos, alte Häuser, Sand, die gelbe Farbe des Landes, die Gesichter von traurigen Männern. Frauen ohne Gesichter, versteckt hinter einem Gewand, als seien sie bewegliche Mumien. Die ungeordnete Welt, die Plakate der Regierung, die Bilder des Präsidenten, die unzähligen Polizisten und Plastiktüten, leere Plastikflaschen, Konservendosen, Zeitungsfetzen und Papier, das in unermesslichen Mengen am Straßenrand lag. Kurz bevor wir Ras-Ajdir erreichten, fiel uns ein Plakat auf: »Die gelbe Wüste wurde grün.«

Abu-Agela flüsterte mir zu: »Siehst du was Grünes hier?«

»Nein.«

»Das ist unsere libysche Logik. Lügen, lügen und lügen, damit man die gelbe Wüste grün sieht.«

Die andere Seite der Welt, Tunesien, war vollkommen anders. Die Straßen sauber, die Frauen mit Gesichtern. Und es gab tatsächlich grüne Plätze. Wenige Bilder vom Präsidenten und wenige Plakate. Der Taxifahrer erklärte:

»In Tunesien dürft ihr alles machen außer Politik.«

»Was heißt das?«, wollte Abu-Agela wissen.

»Frauen, Alkohol, was ihr wollt. Aber niemals die Regierung kritisieren. Da bekommt man echte Probleme!«

»Okay, danke für den Tipp!«

In der Hauptstadt stellten wir auch gleich fest, wie Recht der Mann hatte. Ein Mal kurz die Zeitung durchgeblättert, und man fand nichts außer der wunderbaren Regierung! Ein Tunesier, der in demselben alten und schmutzigen Ein-Dollar-Hotel wie wir wohnte, erzählte, Politiker oder Intellektuelle, die sich gegen die Regierung aussprachen, würden hier in Windeseile festgenommen. Abu-Agela stöhnte: »Dieselbe Scheiße wie überall! Nur hier nicht in Militärklamotten, sondern in Anzug und Krawatte.«

Nun gut, die Lösung der Probleme dieser Länder war nicht der Zweck unserer Reise. Wir hatten alle Hände voll zu tun, unsere eigenen Probleme zu lösen. Wir suchten nur einen Weg übers Meer nach Europa. Abu-Agela versuchte, täglich ans Meer zu fahren und einen Schlepper zu finden. Ich blieb in der Stadt zurück, damit wir nicht so viel Geld für Fahrkarten vergeudeten. Ich verbrachte die Zeit in der Bourguiba-Straße, schaute den Frauen nach und versuchte sie anzumachen. Zwei Wochen gingen vorüber, und wir hatten immer noch keinen Schlepper gefunden, der uns nach Europa brachte. Mein Visum galt aber nur zwei Wochen und konnte nicht verlängert werden, weil ich Iraker war. Abu-Agela hatte drei Monate Aufenthalt, weil er Libyer war. Zwei weitere Wochen gingen vorüber, und wir hatten immer noch keinen Schlepper. Eines Nachts saß ich mit Abu-Agela im Hotelzimmer. Wir hörten sie nur brüllen. Es war die Polizei. Ich vermute, die Hotelbesitzer hatten ihnen gesteckt, dass mein Aufenthalt schon abgelaufen war.

Auf dem Revier erklärte mir der Polizeirichter, ich hätte zwei Möglichkeiten: Entweder zurück in den Irak oder nach Libyen. Außerdem eine Geldstrafe wegen illegalen Aufenthalts. In meinem Geldbeutel waren aber nur noch ungefähr sechzig Dollar. Sie verzichteten auf das Geld, aber ich musste unterschreiben, nie wieder nach Tunesien einzureisen. Am nächsten Tag wollten sie mich nach Libyen zurückschicken. Ich übernachtete in einer alten, mit Läusen überfüllten kleinen Zelle. Meine Mitbewohner waren zwei Flüchtlinge aus Nigeria, deren Sprache ich nicht konnte und sie meine ebenso wenig. Sie sprachen auch kein Englisch, nur Französisch. Das aber konnte ich nicht. So führten wir gezwungenermaßen eine Stummenkonversation. Offensichtlich waren sie auf einem Boot gewesen, als sie von der Polizei festgenommen wurden. Auch sie wollten nach Italien. Genaueres konnte ich nicht herausbekommen. Ich schlief und dachte an mein Bittgebet, aber irgendwie hatte ich das Gefühl, Gott könne mich nicht hören oder wolle es nicht: »Was ist bloß mit ihm los!« Trotzdem begann ich leise zu beten:

»Gott, bitte, bitte rette mich! Errette mich aus der Leere!«

Am nächsten Tag fuhren wir mit zwei Polizisten nach Ras-Ajdir. Von meinen sechzig Dollar bekam ich nur fünfzehn zurück, weil die Reise für mich und den einen Polizisten fünfundvierzig Dollar kostete. Die Afrikaner mussten für den anderen bezahlen und auch für die Rückfahrt der beiden Staatsdiener.

In meinen Pass stempelten sie »Einreiseverbot«, lösten die Fesseln von meinen Handgelenken, befahlen »Verschwinde!«. Und ich ging zum libyschen Grenzposten. Die Afrikaner waren schneller und hatten bereits vor mir die libysche Grenzkontrolle passiert. Ich ließ mich zwischen den beiden Grenzposten nieder. Schaute nach links und nach rechts, ins 20. und ins 18. Jahrhundert. Auf beiden Seiten ein paar Tauben. Sie flogen frei, mal auf die linke, mal auf die rechte Seite, wie sie gerade wollten. Eine flog und landete immer am selben Platz, genau da, wo sich das Grenzbüro der linken Seite befand. Und Kinder, die voller Freude mit ihren Familien nach links oder rechts fuhren. Gesichter in Autos, lächelnde und traurige. Ich blieb lange da sitzen. Dachte daran zu tanzen und zu schreien, aber es waren zu viele Leute unterwegs. Ich erhob mich und schlurfte langsam hinüber zur rechten Seite, zur gelben Wüste, die man grün sehen sollte.

»Gott, verdammt noch mal, rette mich!«

In Libyen zurück, hörte ich nichts mehr von Abu-Agela. Später, nach mehreren Jahren und Tausenden von gleichen Bittgebeten, fand ich endlich doch eine Möglichkeit, in die Türkei zu gelangen. Das Schiff lief aus dem Hafen von Tripolis aus und nach knapp einer Woche im Hafen von Izmir ein. Das erste Mal in meinem Leben fuhr ich sieben Tage lang auf einem Schiff. Auf dem Deck lag ich mit einem Haufen anderer junger Männer am Boden.

Die ersten paar Tage blickten wir interessiert auf das unendlich weite Mittelmeer hinaus. Die letzten aber warteten wir nur noch gelangweilt und sehnsüchtig auf die baldige Ankunft. Es gab nicht einmal Frauen, die wir hätten anbaggern können. Die paar, die es auf dem Schiff gab, waren in männlicher Begleitung und unerreichbar für uns. Keine Gelegenheit also, eine Filmpassage nachzuspielen und eine romantische Nacht mit einer verführerischen Frau zu verbringen. Die einzige weibliche Person, die allein reiste, war eine Russin. Sie hat auf dieser Reise wohl das Geschäft ihres Lebens gemacht. Während sie den ganzen Tag in ihrer Kabine lag, standen die libyschen Burschen vor ihrer Tür in der Warteschlange, um es mit ihr zu treiben. Eines Nachts sah ich sie rauchend auf dem Deck. Sie schien so mitgenommen zu sein, dass sie nicht einmal mehr richtig laufen konnte.

Auf dieser langweiligen Überfahrt lernte ich glücklicherweise einen netten kurdischen Jungen kennen, der Hewe hieß. Wir

die Russen

verbrachten einen Großteil unserer Zeit miteinander. Er hatte in Libyen gearbeitet und wollte seine Familie im Nordirak besuchen. Oder besser in »Kurdistan«, wie er es gern und stolz nannte. Er plauderte und erzählte viel, auch davon, wie irakische Soldaten vor seinen Augen seinen älteren Bruder umbrachten. »Das war 1991 im Widerstand. Die Soldaten trieben alle jungen Männer aus unserem Dorf wie Vieh zusammen. Sie haben alle erschossen. Am Ende blieben nur Frauen, Kinder und alte Männer übrig.«

Hewe hatte Pläne für die Zeit nach dem Besuch bei seiner Familie. »Ich will nach Deutschland gehen, ich habe dort einen Freund. Er sagt, die Deutschen geben den Irakern Asyl.«

Er schwieg ein Weilchen, dann blickte er mit seinen blauen Augen zum Himmel und murmelte: »Ich bin ein Mensch, der mit Politik nichts zu tun hat. Ich will nur Geld in Deutschland verdienen und dann nach Kurdistan zurückgehen, wenn die Lage dort besser ist. Ich will mit meiner Mutter und meinen Schwestern in Ruhe leben.«

Nach zwei Tagen erreichte das Schiff den Hafen von Beirut. Wir durften ein paar Stunden innerhalb des Hafengeländes herumspazieren, aber nicht über die Mauern hinaus. Ich blickte auf Beirut: weiße Häuser, kleine Berge und unzählige Plakate, aber kein einziges vom Präsidenten.

»Schön!«, meinte Hewe, der meine Blicke schnell gedeutet hatte. »Keine Bilder vom Präsidenten, das kann nur was Gutes bedeuten, oder?«

Auf diese rhetorische Frage war jede Antwort überflüssig, und ich blickte weiter stumm auf die Stadt. Von ihr hatte ich früher viel gehört: Kriege, Literatur und Kunst, Trauer, hübsche Frauen, Mörder und obdachlose Götter aus verschiedenen Ländern, wie Künstler, Dichter, Sänger und Huren, die in den Siebzigerjahren in den Straßen dieser wundervollen Stadt ihre geheimnisvolle Geschichte geschrieben haben. Ich dachte einen

Augenblick daran, ob ich die Mauer des Hafens überspringen und in Beirut bleiben sollte. Das wäre ein Leichtes gewesen. Sie war niedrig und die Polizei mit den Schiffen und den Reisenden beschäftigt. Schließlich verzichtete ich aber doch darauf, weil ich oft gehört hatte, man müsse auf jeden Fall eine Persönlichkeit in einer Partei kennen, um hier ein Aufenthaltsrecht zu bekommen. »Das ist dann wohl doch nichts für mich!«

Das Schiff fuhr weiter. Nach einigen Tagen legten wir endlich in Izmir an. Dort wollte ich nicht bleiben, weswegen ich noch am selben Tag nach Istanbul aufbrach. Am Busbahnhof von Izmir verabschiedete ich mich von Hewe. Er war überzeugt, wir würden uns irgendwann wieder treffen. »Die Welt ist klein, mein Freund!«

Trotz seiner Überzeugung habe ich ihn seither nicht wiedergesehen. So ist das eben. Auf einer großen Reise lernt man nicht nur Menschen, Städte und ein neues Leben kennen, sondern auch die Geheimnisse der verborgenen Töne der Welt. Hewe, die Russin und ihre lange Warteschlange konnten von diesen Tönen gut etwas gehabt haben.

In Istanbul kannte ich weder die Sprache noch irgendeinen Menschen. Ich musste nur die Schlepper am Taksim-Platz, dem europäischen Zentrum Istanbuls, suchen. Sie zu finden war kein Kunststück.

Der Taksim-Platz und dessen Umgebung waren außerordentlich prächtig, ebenso der Platz um das Denkmal der Republik, den unzählige Tauben und Straßenmusikanten bevölkerten. Jeden Tag suchte ich mir dort ein Plätzchen auf einer Bank, um Tauben und Menschen zu beobachten und der Musik zu lauschen. Nicht weit entfernt von engen Gassen, wo es jede Menge Freudenhäuser gab und die verführerischsten Damen hinter Schaufensterglas ihre Reize zur Schau stellten. Niemals hätte ich dort des Nachts allein spazieren gehen mögen, weil haufenweise

Schwule, auf Kundschaft wartend, den Straßenrand säumten. Sie sprachen jeden an, der vorbeikam, und waren dabei manchmal so aufdringlich, dass ich lieber einen Umweg in Kauf nahm, um nicht von ihnen betatscht zu werden. Anfangs hatte ich sie sogar für echte Frauen gehalten, doch nach einem zweiten, genaueren Blick erkannte ich, was da gespielt wurde. Abgesehen von ihren tiefen Stimmen, waren sie eigentlich recht hübsche und adrette »Frauen«.

Am Taksim-Platz hatte ich wie alle Flüchtlinge auch mit einer anderen Art von Menschen zu tun, die sicherlich keine weibliche Seite aufwiesen, nämlich den Schleppern. Sie gehören zu einer ganz besonderen Sorte Mensch, die jederzeit bereit ist, für Geld alles zu tun. Manchmal nannte ich sie »die außerirdischen Kreaturen«. Sie besaßen einen besonderen Charakter und Eigenschaften, die man bei Typen wie Scharfrichtern, Folterknechten, Geheimdienstlern und Zuhältern findet.

Einer der vielen Schlepper, die ich in meinem Leben kennenlernte, hieß Azad. Er war Kurde aus A'Suleymania im Nordirak. Zusammen mit mehr als dreißig Flüchtlingen transportierte er mich in einem Lastwagen nach Edirne, einer Stadt nahe der türkisch-griechischen Grenze. Von dort aus erreichten wir nach einem zweistündigen Fußmarsch durch die Wälder den Fluss Ebrus. Er begann mit seinen Helfern ein Schlauchboot herzurichten, um uns damit zum anderen Ufer zu bringen. Am griechischen Ufer angelangt, marschierten wir vier bis fünf Stunden lang querfeldein und lagerten schließlich in einem Tal.

Azad hockte etwas abseits von den anderen Flüchtlingen. Ich ließ mich hinter einem Stein nieder, zusammen mit einem Kurden, der Hama hieß. Die einzige Familie in unserem Flüchtlingstrupp, Vater, Mutter und eine kleine Tochter, hatte sich einen Platz gesucht, etwa fünfzig Meter von mir entfernt. Die meisten schliefen schnell ein, und Hama erzählte mir von seinen Plänen in Europa.

»Ich werde arbeiten und Geld sparen. Dann hole ich meine Verlobte aus Kurdistan und heirate sie.«

Er erzählte viel, sogar über die Geschichte Kurdistans nach dem Jahr 1991: »Wir kommen von einer Scheiße in die andere. Die kurdischen Führer kämpfen gegeneinander, seit Jahren, und jeder will der Oberboss sein. Dann machen sie wieder eine Zeitlang einen Deal, und dann streiten sie wieder. Und wir armen Schweine müssen das alles ertragen. Zuerst haben wir unter Saddam gelitten und jetzt unter unseren eigenen Leuten. Was für ein beschissenes Schicksal!«

»Irgendwann muss es eine Lösung geben!«

»Irgendwann! Im Jenseits!«

Plötzlich hob Hama den Kopf. »Azad ist noch wach. Und die Frau, schau!«

Wir blinzelten vorsichtig hinter unserem Stein hervor. Die Frau verließ Mann und Kind und schlich hinüber zu Azad. Leise kroch sie zu ihm unter die Decke. Ich beobachtete ihren Ehemann. Er lag auf dem Bauch, den Arm schützend um seine Tochter gelegt. Sein Rücken zitterte, als würde er von einem eisigen Wind geschüttelt. Hama flüsterte:

»Er weint.«

»Aber wieso lässt er das zu?«

»Das ist der Preis für die Reise.«

»Was?«

»Einer von Azads Helfern hat unterwegs erzählt, dass der Ehemann kein Geld hat, und Azad hat sie umsonst mitgenommen. Dafür verlangt er aber ein paar Nächte mit der Frau.«

Jetzt braucht wohl Gott meine rettende Hilfe! dachte ich. Warum bewegt Er Seinen Arsch nicht vom Himmel herunter? Ich verspürte einen tiefen Hass gegen Ihn. In dieser Nacht fühlte ich die Bereitschaft in mir hochsteigen, jemanden umzubringen. Dieses Gefühl überkam mich nur ganz selten. Und auch nur bei ganz bestimmten Menschen. Am liebsten hätte ich diesem

Azad das Herz aus dem Leib gerissen und dem Ehemann gegrillt zum Abendessen serviert. Seitdem hatte ich bei allen noch folgenden Reisen dieser Art ein Messer in der Tasche. Auf dieser Reise hegte ich sogar den Wunsch, die griechische Polizei würde uns aufspüren und festnehmen. Dann hätte ich Azad anzeigen können. Schlepper hatten bekanntermaßen besonders harte Strafen zu erwarten, wenn sie erwischt wurden. Tatsächlich erwischte uns die Polizei, und tatsächlich hat sie einen Großteil der Gruppe festgenommen. Aber Azad war es gelungen, rechtzeitig abzuhauen.

Alle Schlepper, die ich kennengelernt habe, schafften es in solchen Fällen immer, rechtzeitig abzuhauen. Hama vertrat die Meinung: »Sie riechen die Polizisten förmlich! Sie verschwinden so leise und schnell, als wären sie nie da gewesen. Keiner weiß, wie sie das hinkriegen.« Einige Flüchtlinge behaupteten sogar, die Schlepper hätten eine Art Vereinbarung mit der Grenzpolizei. Eine Gruppe gelangt ungehindert nach Athen, die nächste ist für die Polizei. Deswegen gelinge ihnen auch immer der rechtzeitige Rückzug. Wer weiß? In der vergessenen Grenzwelt zwischen der Türkei und Griechenland ist nichts unmöglich.

Ich verbrachte einige Tage im Gefängnis, bis uns die griechische Polizei an die türkische Grenze zurückbrachte. Dort wurden wir von der türkischen Polizei erneut verhaftet und wiederum ins Gefängnis gesteckt.

»Gott, rette mich aus der Leere!«

Nach diesem Versuch beschlich mich das leise Gefühl, nie aus der Türkei wegzukommen. Es war ungeheuer schwer, sich im griechisch-türkischen Grenzgebiet zu bewegen. Oft lauerte die Polizei hinter einem Hügel oder am Eingang in ein Tal. Mehrere Male wurde ich von der Polizei festgenommen und musste immer wieder ein paar Tage in einer Zelle der Grenzpolizei verbringen, bevor ich dann zusammen mit den anderen Flüchtlingen in einem Bus zurück nach Istanbul verfrachtet wurde. Damals existierte ein ungeschriebenes Gesetz, was den Verbleib illegaler Flüchtlinge in der Türkei anbelangte: Wer an der Grenze verhaftet wurde, wurde nach Istanbul gebracht. Wer aber in Istanbul selbst verhaftet wurde, wurde in den Irak oder in den Iran abgeschoben. Deshalb musste man in Istanbul die Augen besonders offen halten. Und einen Ausweg gab es immer: Einen türkischen Polizisten kann man mit zehn Dollar schmieren.

An der Grenze verbrachte ich fast eine Woche in der Zelle. Es gab nichts zu tun, außer dazusitzen und zu warten. Manchmal brachte uns die Polizei in abgelegene Dörfer und ließ uns Straßen reinigen. Bei jedem Aufenthalt im türkischen Grenzgefängnis nahm ein Polizist die Namen der Flüchtlinge auf. Danach wurde man fotografiert, und die Fingerabdrücke wurden abgenommen. Normalerweise sagt ein Flüchtling nie seinen richtigen Namen, und bei jeder neuen Verhaftung überlegt man sich einen neuen. Wenn das allerdings herauskam, hatte man eine mehrmonatige Gefängnisstrafe zu erwarten. Von mir hat die türkische Polizei eine ganze Reihe von Namen, alle mit einem ähnlichen Foto und denselben Fingerabdrücken.

Einmal waren wir über hundert Gefangene, nur Araber und irakische Kurden. Alle Gefangenen sahen traurig aus, so als würden sie bald in die Hölle geschickt. Ich beschloss einen Witz zu machen, um ihre Gesichter wenigstens für einen Augenblick zum Lächeln zu bringen. Dachte mir einen besonders lustigen Namen aus; denn ich merkte, der Polizist, der unsere Namen aufschreiben sollte, war derselbe, der mich und einige der anderen bei unserer Verhaftung besonders leidenschaftlich geschlagen hatte. Als er sich in seiner lächerlichen Khaki-Kluft und seinem kindischen Grinsen im Gesicht vor mir aufbaute und mich nach meinem Namen fragte, antwortete ich laut und deutlich: »Ana Maniuk!« Eine Weile später kam er noch einmal in unsere Zelle, um uns zum Fotografieren und Fingerabdrückenehmen zu seinen Kollegen zu schicken. Als er meinen Namen »Ana Maniuk« aufrief, verhielt ich mich ruhig. Also wiederholte er: »Ana Maniuk.« Ich schwieg wieder. Das dritte Mal wurde er schon lauter und ungeduldiger: »Ana Maniuk!« Doch ich gab immer noch keinen Ton von mir. Meine Mitgefangenen mussten bereits derart lachen, dass einigen sogar die Tränen über die Wangen kullerten. Erst beim vierten Versuch gab ich mich zu erkennen. »Ana Maniuk« heißt auf Arabisch: »Ich bin ein Arschloch.«

Nach mehreren gescheiterten Versuchen, die türkisch-griechische Grenze zu überwinden, wollte ich mir eine Arbeit suchen. Mit ungültigem Pass, ohne Arbeitserlaubnis und ohne jegliche Sprachkenntnisse war das aber kein einfaches Unterfangen. Ich beschloss, nach Antakya zu gehen, nahe der türkisch-syrischen Grenze. Ich hatte gehört, die meisten Leute dort würden Arabisch können. Tatsächlich sprachen dort viele Leute arabisch, was mir bei der Arbeitssuche aber nicht unbedingt weitergeholfen hat. Ich blieb einen Tag in Antakya, bevor ich nach Istanbul zurückkehrte. Fragte in vielen Geschäften und Läden nach Arbeit, aber keine Chance. In einem Café, das A'Salam – Der Frieden – hieß, bestellte ich mir ein Glas Tee. Ich wusste überhaupt nicht mehr, was ich noch anstellen sollte. Die Wege waren alle versperrt, und die Leere stank schon zum Himmel. Da kam der Café-Besitzer mit seinem großen Bauch auf mich zu.

»Ich hab gehört, du suchst Arbeit?«

»Ja.«

»Ich habe was für dich.«

»Gern, was denn?«

»Na ja. Es ist keine schwere Arbeit. Eigentlich machst du nichts. Du musst nur eine Frau heiraten, die ich kenne. Dann bekommst du Aufenthalt hier. Es ist nur eine Scheinehe, aber du wirst mit ihr arbeiten.«

»Wie, was arbeiten?«

»Du verwaltest das Geld und beschützt sie. Abends kriegt ihr Besuch von Männern, die Spaß haben wollen.«

»Ich soll Zuhälter sein?«

»Nein, Lustvermittler!«

»Zuhälter oder Lustvermittler. Das macht keinen Unterschied. Danke!«

Ich schaute in den hellen Himmel und flüsterte leise: »Gott, wo bist Du eigentlich? Bist Du schon verloren gegangen?!« Ich bezahlte meinen Tee und verschwand aus dieser Stadt. Ich kehrte zurück nach Istanbul und versuchte wieder den Fluchtweg nach Griechenland.

Jedes Mal in den Wäldern und Bergen des türkisch-griechischen Grenzgebietes überkam mich der Drang zu schreien, aber ich traute mich nicht, ihm nachzugeben, aus Angst, von der Polizei gehört zu werden. In Istanbul war das auch nicht möglich, weil diese Stadt immer voll von Menschen ist und ich zum Schreien allein sein wollte.

Der letzte und schließlich erfolgreiche Versuch, nach Griechenland zu gelangen, dauerte fast einen ganzen Monat. Aber am Ende landete ich doch in Athen.

Griechenland war eine Stufe besser als die Länder, die ich bisher kennengelernt hatte. In Athen und an den westlichen Grenzen des Landes musste man keine Angst haben, zurück in die Türkei abgeschoben zu werden. Diese Nicht-Angst machte das Leben ein klein wenig erträglicher. Stattdessen hatte man hier mit anderen Schwierigkeiten zu kämpfen. Auch hier verspürte ich die unendliche Leere, weil ich nicht wusste, was ich tun sollte. Außerdem gab es hier geradezu ein Heer von Flüchtlingen, aus Irak, Iran, Kurdistan, Pakistan, Afghanistan und Albanien, die überall in den Straßen Athens zu finden waren, besonders im Zentrum, am Omonia-Platz.

In den ersten Wochen beschäftigte ich mich mit einem irakisch-kurdischen Kind, das auf der Flucht seine Eltern verloren hatte. Ich verbrachte täglich zwei Stunden mit ihm. Es lebte bei der Caritas in Athen, und einige andere Flüchtlinge kümmerten sich auch um den Jungen. Er hieß Sherzad und war etwa ein Jahr alt. Sherzad war mit seinen Eltern und fünfzehn anderen Flüchtlingen unterwegs gewesen. Er war schon ziemlich schwer für sein Alter, und seine Eltern waren heilfroh, in den hilfsbereiten jungen Männern des Flüchtlingstrupps tat- oder besser tragekräftige Unterstützung gefunden zu haben. So wanderte der Junge von einer Schulter zur anderen und hatte seinen Spaß auf dem beschwerlichen Fußmarsch. Doch die Gruppe wurde von der griechischen Polizei entdeckt. Die Flüchtlinge versuchten in alle Himmelsrichtungen zu fliehen. Einige, darunter auch Sherzads Eltern, wurden festgenommen. Sherzad selbst entkam auf dem Rücken eines der jungen Burschen. Letztlich landete er zusammen mit dem Rest der Flüchtlingstruppe in Athen, die Eltern wurden nach Istanbul zurückgebracht. Durch die geheimnisvollen Schlepperkontakte zwischen Türkei und Griechenland erfuhren die Eltern die Telefonnummer der Caritas in Athen. Die Mutter telefonierte fast täglich und weinte. Glücklicherweise gelang etwa einen Monat später auch den Eltern die Flucht nach Athen. Die Freudentränen brachen alle Dämme. Die alte griechische Dame, die sich während der ganzen Zeit liebevoll um das Kind gekümmert hatte, veranstaltete ein Wiedersehensfest. Der König dieses Tages war selbstverständlich Sherzad.

Für mich war das Leben in Athen nicht so einfach wie für Sherzad. Das Kind hatte Menschen gefunden, die bereit waren, ihm zu helfen. Erwachsene mussten selber sehen, wo sie blieben. Also machte ich mich auf die Suche nach Arbeit. Das Einzige, was ich finden konnte, hatte mit Telefonkarten zu tun. Ich lernte Mohamed kennen, ebenfalls aus dem Irak geflohen, der eigentlich nach London wollte, weil dort seit den Siebzigerjahren sein

Onkel lebte. Mohamed war Kommunist, aber kein Theoretiker, sondern ein Praktiker. Immer auf der Seite der Schwachen. Immer den Traum von einer besseren Welt im Kopf. Er hatte zwar noch nie selbst ein Buch in der Hand gehabt, konnte aber Leute, die Bücher in der Hand haben, gut leiden. Zwar mochte er die kommunistischen Ideen, wusste aber keine Antwort auf die Frage nach dem Warum. Was ich an ihm schätzte, war seine Liebe zu anderen Menschen. Er war bereit, jedem zu helfen, der Hilfe brauchte.

Mohamed besorgte mir die Arbeit mit der Telekarte. Wir taten uns zusammen, aber es war keine einfache, sondern eine sehr gefährliche Arbeit und ein großer Verlust für die griechische Wirtschaft. Mohamed borgte sich von einem Pakistaner eine sogenannte Jokerkarte, die an jedem Telefonautomaten funktionierte und sich nach jedem Gespräch neu auflud. Man konnte für fünfhundert Drachmen telefonieren, dann musste man die Jokerkarte schnell aus dem Automaten herausziehen und gleich noch mal hineinstecken, damit sie sich erneut mit fünfhundert Drachmen auflud. Das so verdiente Geld mussten wir mit dem Pakistaner teilen. Die Pakistaner waren in Griechenland berüchtigt für derartige Spielereien in Sachen Technik. Unsere Kunden waren größtenteils Flüchtlinge und ein paar griechische Penner, die genau wussten, wo sie uns finden konnten. Wir benutzten hauptsächlich die Telefonautomaten rings um den Omonia-Platz und in der Plaka, der Gegend um die Akropolis. Wir boten ein 500-Drachmen-Gespräch für nur zweihundert an, so sparten die Kunden dreihundert pro Telefonat, und wir hatten die zweihundert als Gewinn.

Schwierig war es nur, der Athener Sicherheitspolizei, den Asfali, aus dem Weg zu gehen. Sie waren immer mit ihren Motorrädern unterwegs und tauchten oft wie aus dem Nichts auf. Deswegen arbeiteten wir grundsätzlich zu zweit. Während der eine mit dem Kunden ging, musste der andere Schmiere stehen.

Eines Nachts, ich war mit Schmiere stehen an der Reihe, stand plötzlich, ohne dass ich auch nur das Geringste gehört oder gesehen hatte, ein hünenhafter, kräftig gebauter Asfali vor uns. Mohamed ließ blitzschnell die Jokerkarte fallen, doch der Asfali hatte es bemerkt. Er verhaftete uns und suchte den Boden ab. Er fand die Jokerkarte, betrachtete sie uninteressiert und warf sie achtlos weg.

»Wo habt ihr eure Drogen?«

Er durchsuchte uns, konnte aber nichts finden. Also schlug er Mohamed ins Gesicht und gab mir einen kräftigen Fußtritt: »Go …«

Erleichtert und fast ein bisschen glücklich machten wir uns schleunigst aus dem Staub. Später kehrten wir an unseren Arbeitsplatz zurück, holten uns die Jokerkarte wieder und trabten nach Hause. Übermütig jauchzend und lachend wagten wir sogar ein paar ausgelassene Tanzschritte zwischen den alten griechischen Häusern. Mohamed benahm sich wie ein Kind und stimmte ein altes irakisches Volkslied an:

»Fischer! Fang mir eine Sardine!

Seltsam, du bist Städter und ich Beduine.«

Tags darauf gab Mohamed dem Pakistaner die Telekarte zurück und suchte sich einen anderen Job. Ich beschloss, nach Patras zu fahren. Dort musste ich lange auf eine Gelegenheit warten, bis es mir gelang, auf einem Schiff nach Italien zu kommen.

Die Wege in Italien waren sehr einfach. Ich landete in Bari. Ich hatte von vielen Flüchtlingen gehört, es gebe von da an kein großes Problem mehr, in irgendein anderes europäisches Land zu gelangen. In Bari und seinen engen Straßen blieb ich nicht lange. Nach nur einer Stunde wollte ich unbedingt weiter nach Rom. Also begab ich mich zum Bahnhof. An einer Ecke sah ich zwei Kurden, die ich bereits aus Patras kannte. Ich ging auf sie zu und fragte, ob sie auch nach Rom wollten.

»Ja, aber wir haben Angst. Wir können kein Englisch.«

»Aber ich.«

»Würdest du für uns Fahrkarten kaufen?«

»Gern, aber bezahlt ihr meine Fahrkarte? Ich habe nicht viel Geld dabei und will auch nach Rom.«

Sie schauten sich an. »Okay!«

Einer musterte mich kritisch. »Deine Hose ist schmutzig. Das fällt auf. Hast du keine andere Hose dabei?«

»Nein.«

»Ich habe eine. Du kannst sie nehmen.«

So fuhr ich mit dem Zug von Bari nach Rom. Die beiden Kurden bedankten sich bei mir und gingen in ein anderes Zugabteil. Es war Nacht. Ich schlief tief und ganz ruhig. Erreichte Rom am frühen Morgen. Dort fand ich meine Freunde. Ich meine die Flüchtlinge an jeder Ecke und auf jeder Mauer. Sie lagerten dort, als wäre der Hauptbahnhof ein Basar. Die einen verkauften Brot mit Ei, Tee oder Telefonkarten. Andere arbeiteten als Finanzvermittler und besorgten Geld für die Flüchtlinge. Sie ließen sich von bereits in Europa lebenden Freunden und Bekannten eines Flüchtlings Geld auf ihr Konto überweisen und gaben dem Flüchtling dafür Bares auf die Hand. Allerdings nicht ohne entsprechende Gebühr. Die Schlepper hatten auch ihre Straßenecken, obwohl die Nachfrage nach ihren Diensten hier nicht sehr groß war. Sie arbeiteten fast ausschließlich für Familien, die keine Ahnung hatten oder so schnell wie möglich ihr Ziel erreichen wollten. Alleinstehende Männer, die den größten Teil des Flüchtlingsstroms ausmachten, organisierten ihre Weiterreise selbst, mit dem Zug an die Landesgrenze und von dort auf eigene Faust weiter.

Am ersten Tag machte ich die Bekanntschaft eines marokkanischen Flüchtlings, der im Hauptbahnhof übernachtete. Er zeigte mir Pfarreien, Klöster und andere kirchliche Institutionen, wo ich mich duschen konnte und manchmal auch Essen oder

Taschengeld bekam. Ich blieb ein paar Wochen in Rom, denn dort brauchte ich nicht viel Geld und konnte mich frei bewegen.

Diese Zeit genoss ich sehr: die breiten Straßen, die alten Häuser und die schönen Frauen. Täglich schlenderte ich gemächlich von einem Platz zum anderen und kehrte dann zurück zum Hauptbahnhof. Täglich bummelte ich durch das Zentrum der Stadt und betrachtete die alten Steine.

An einem Tag regnete es, und ich verspürte eine unglaubliche Lust zu tanzen. Nicht etwa, weil ich traurig gewesen wäre. Nein, ganz und gar nicht. Vielmehr, weil ich es wirklich wollte. Also schloss ich die Augen und tanzte. Als ich sie wieder öffnete, bemerkte ich neben mir ein paar Leute, die um mich herum tanzten. Ich hörte auf und begann, ihnen zu applaudieren. Dann ging ich weg und erinnerte mich an Abba und Abd, die ersten Menschen, die mit mir in Bagdad unter freiem Himmel zum Abschied getanzt hatten. Abba wollte Philosoph werden, Abd Soziologe. Wir hatten immer den Wunsch gehabt, bei Regen in Rom zu tanzen. Aber warum in Rom? Ich weiß es nicht. Jedes Mal, wenn es uns schlecht ging oder wenn es regnete und die Straßen Bagdads leer wurden, gingen wir in Richtung A'Sade und tanzten. »Wie Alexis Sorbas!«, schrie Abba. »Als ob wir in Rom wären!«, schrie Abd. Wir tanzten, bis der Regen versiegte oder unsere Tränen. Abba und Abd sind in Bagdad geblieben. Abba wurde ein berühmter Dokumentenfälscher und später Bodyguard bei einem islamischen Führer, Abd Gefängniswärter. Ich aber tanzte im Regen in Rom als Flüchtling, Obdachloser und verlorene Taube.

Die Flüchtlinge am Hauptbahnhof erzählten, man müsse zur Polizei gehen und sich einen Flüchtlingsausweis ausstellen lassen, der vierzehn Tage gültig sei. Innerhalb dieser vierzehn Tage habe der Flüchtling Italien zu verlassen. Um den Ausweis zu bekommen, sei es aber notwendig, eine Nacht auf einem Polizeirevier zu verbringen. Also machte ich mich auf die Suche nach dem schönsten Polizeirevier im Stadtzentrum und begab mich gegen Abend dorthin. Die Polizisten schossen ein Foto von mir, nahmen meine Fingerabdrücke und brachten mich in eine Zelle, ließen die Zellentür aber offen. Ich war der einzige Gefangene auf dem ganzen Revier. Eine gute Möglichkeit, endlich mal wieder an einem sauberen Platz zu übernachten. Die Tage zuvor hatte ich entweder im Bahnhofsgebäude oder in einem Tunnel bei den Obdachlosen und Flüchtlingen geschlafen.

In dieser Nacht in meiner komfortablen Zelle konnte ich aber kein Auge zutun, weil die Wachmannschaft bei ihrem nächtlichen Zock- und Saufgelage einen Höllenlärm veranstaltete. Schließlich waren sie derart betrunken, dass einer von ihnen in meine Zelle kam und mich mit zu ihnen an den Tisch nahm. Er brachte mir sogar einen Stuhl, holte mir eine Flasche Bier und drückte mir ein paar Spielkarten in die Hand. Ich konnte kaum ein Wort Italienisch und sie kein Arabisch. Auch ihr Englisch war dermaßen schlecht, dass wir lieber darauf verzichteten. Trotzdem unterhielten wir uns die ganze Nacht miteinander und lachten und grölten ausgelassen herum. Ich fing sogar an, ihnen irgendetwas auf Arabisch zu erzählen. Sie lachten unaufhörlich weiter. Wir tranken und tanzten, als seien wir irgendwo draußen unter freiem Himmel und nicht in einem Polizeirevier. Im Morgengrauen, gegen vier Uhr etwa, waren wir betrunken. Keiner wusste mehr, was los war.

Am nächsten Tag, oder genauer einige Stunden später, kamen die Polizisten von der nächsten Schicht, gaben mir meinen Ausweis und sagten nur: »Go!«

In Rom besorgte ich eine Fahrkarte und fuhr nach Bozen, an die italienisch-österreichische Grenze. Dort verbrachte ich einige Tage, übernachtete am Bahnhof, aß bei der Caritas und schlenderte täglich durchs Zentrum, um die Leute zu beobachten, wie sie einkauften, redeten, knutschten und vieles mehr. Letztlich fuhr ich eines Nachts versteckt in einem Zug nach Deutschland und landete in München. Dort wollte ich aber nicht auf Dauer bleiben. Von den Flüchtlingen am Hauptbahnhof in Rom hatte ich eine interessante Einteilung der europäischen Länder in verschiedene Kategorien erfahren. England sei gut für Intellektuelle, weil es dort eine Menge verschiedener arabischer oder kurdischer Zeitungen, Zeitschriften, Fernseh- und Radiosender und Institute gebe. Skandinavien unterstütze Familien, Studenten und ebenfalls Intellektuelle. Deutschland dagegen eigne sich für Arbeiter und Leute, die Geld sparen wollten, weil Deutschland eine große Fabrik sei. Ein Leben in einer großen Fabrik war aber nichts für mich. Deswegen hatte ich die Absicht, Deutschland zu durchqueren und nach Schweden weiterzureisen. Meine Reise wurde aber gestoppt – von der deutschen Polizei.

»Ich will nach Schweden«, übersetzte der Dolmetscher.

»Warum?«, fragte der Polizeibeamte.

»Ich will nach Schweden.«

»Sie sind illegal auf deutschem Boden. Sie können nicht so einfach nach Schweden. Sie sind verhaftet! Begreifen Sie das nicht?«

»Ich will nach Schweden.«

»Sie können Asyl beantragen, aber nur hier.«

»Ich will nach Schweden.«

»Wir haben jetzt Ihre Fingerabdrücke. Die werden allen Asylländern zugeschickt. Wenn Sie versuchen, irgendwo anders hin zu fliehen, wird man Sie nach Deutschland zurückbringen.«

Ich war sehr traurig, mein großes Ziel »Schweden« nun nicht mehr erreichen zu können. Aber was konnte ich schon tun, als mich in mein Schicksal zu ergeben.

Hier also sollte meine Reise ihr Ende finden. In Wahrheit aber fand sie gar kein Ende, sondern nahm nur neue Formen an. Die deutschen Behörden schickten mich von einem Asylantenheim ins nächste. Die ersten paar Tage musste ich in ein Heim in der

Nähe von Ansbach, dann nach Bayreuth und letztlich nach Passau. Als ich endlich meine Aufenthaltserlaubnis bekommen hatte, ging ich nach München. Ich wollte mir Arbeit suchen, damit ich mir einen Sprachkurs leisten konnte. Monatelang lief ich von einer Behörde zur anderen, um Unterstützung dafür zu bekommen. Aber keine Chance. Und es war fast unmöglich, so etwas aus eigener Kraft zu finanzieren, denn München ist eine außerordentlich teure Stadt.

Es war allgemein schwer in Deutschland, in der großen Fabrik. Ich jobbte als Reinigungskraft und Hilfsarbeiter bei den verschiedensten Zeitarbeitsfirmen. Es dauerte lange, bis ich die Sprache ein bisschen lernte. Vormittags bei der Arbeit, nachmittags im Kurs. Der Alltag war vollgestopft mit Terminen und Verpflichtungen, und doch machte sich wieder diese unendliche Leere darin breit. Ich versuchte alles Mögliche und Unmögliche, mein Leben in geordnete Bahnen zu lenken, scheiterte aber oft an den zahlreichen Paragrafen und bürokratischen Vorschriften, die dieses Land unter sich begraben. Deutschland schien mir wie eine Stadt, die hinter einer Mauer versteckt ist. Wer hinein will, muss ein Loch in die Mauer brechen. Die Mauer aber ist aus Eisen. Das Loch hineinzubrechen kann Jahre dauern. Und was findet man am Ende?

Immer wieder versuchte ich neu anzufangen – in dem Loch, vor der Mauer oder dahinter, aber … Die Leere in den Wäldern und Bergen dieses Landes war genauso groß und gewaltig wie die in der Wüste. Ich gebe zu, ich stellte langsam fest, wie groß und mächtig die Leere ist, die man überall antreffen kann. Sie ist so groß und mächtig, dass sie mir die Luft zum Atmen nimmt. Ich erinnerte mich wieder an mein Bittgebet, aber irgendwie wollte ich es nicht mehr beten. Und trotzdem habe ich meinen letzten großen Wunsch noch nicht ganz verloren: Auf irgendeinem anderen Planeten Asyl zu erhalten. Und möglicherweise finde ich dort meinen Großonkel Jaber …

6

Die Wunder

Ich schwöre bei allen sichtbaren und unsichtbaren Geschöpfen, ich habe sieben Leben. Wie eine Katze. Nein, nein, sogar doppelt so viele. Die Katzen könnten vor Neid erblassen. Wunder traten in meinem Leben immer im letzten Moment ein. Ich glaube an Wunder. An diese seltsamen Einmaligkeiten, auf die einfach kein anderer Begriff passt. Es ist eine Art Geheimnis des Lebens. Diese Wunder haben viel gemeinsam mit Zufällen. Aber ich kann sie auch nicht als Zufälle bezeichnen, weil ein Zufall nicht mehrmals passiert. Ein Zufall ist nur ein Zufall, so banal das auch klingen mag. Man kann von einem oder höchstens zwei großen Zufällen im Leben sprechen, aber nicht von solchen Mengen an Zufällen. Es gibt also Ereignisse, die Wunder sind, aber keine Zufälle – so erlaube ich mir zu formulieren, ohne der aristotelischen Logik zu folgen. Ich bin kein abergläubischer Mensch und glaube nicht an Überirdisches und Unterirdisches. Ich habe im Laufe meines Lebens sozusagen meine eigene Glaubensrichtung entwickelt, und zwar eine, die ausschließlich zu mir passt. Absolut individuell. Bis heute verehre ich zum Beispiel Autoreifen. Ja, Autoreifen! Sie sind für mich nicht nur die Füße eines Autos, sondern Schutzengel. Ich weiß, das klingt nicht unbedingt intelligent, weil schon viele Menschen unter Autoreifen ihr Leben lassen mussten. Aber ein Autoreifen kann eben auch Leben retten. Und so begann das erste Wunder.

Ich saß in Bagdad im Gefängnis. Es ist kein Wunder, in Bagdad im Gefängnis zu sitzen, in den Neunzigerjahren gehörte das zur Normalität. Als ich dort war, kam auch der Tag einer unerwarteten Reise. Einer unvergesslichen Reise. Die Aufseher trieben alle

Gefangenen zusammen, fesselten sie an den Händen, verbanden ihnen die Augen mit einem schwarzen Tuch und steckten sie in mehrere Autos. Die Fahrzeuge bewegten sich langsam. Es war alles dunkel. Ich hörte nur den Atem meines Mitgefangenen und das Pochen meines Herzens. Roch nur den Schweiß der anderen und ihre alten, feuchten Kleider. Nach einer halben Ewigkeit drang ein unendliches Stimmengewirr an mein Ohr und jede Menge Motorengeknatter. Endlich durfte ich wieder einmal das normale Alltagsleben meiner Heimatstadt hören. Kindergeschrei, laute Musik aus den Musikläden und auch das Schreien der Händler in den Straßen: »Frische Tomaten, Salat, Obst und Gemüse, alles frisch …« Nach einer Weile vernahm ich nur noch den Wind, der die Wände des Autos peitschte, als wolle er uns begrüßen. Plötzlich ein Knall. Der Wagen stand still. Stimmen der Gefängniswärter näherten sich. Langsam öffnete sich die Tür mit dem Befehl: »Aussteigen!« Ich bewegte mich wie in Zeitlupe, um nicht hinzufallen. Dann ein neuer Befehl: »Auf den Boden setzen!« Ich sog die Luft ein. Sie war kalt, aber angenehm frisch. Ich kannte diese Luft! Wir befanden uns in der Wüste. Aber was sollten wir hier?

Die Gefängniswärter redeten miteinander.

»Wir müssen so schnell wie möglich den verdammten Reifen wechseln. Wir müssen die anderen wieder einholen!«

»Das ist unmöglich! Wir haben keinen Ersatzreifen. Wir müssen ihn reparieren!«

»Wie lang dauert das?«

»Halbe Stunde vielleicht!«

»Scheiße! Sie werden uns umbringen. Mach schnell!«

Eine halbe Stunde herrschte Totenstille. Die Aufseher wechselten nur wenige Worte miteinander. Dann ein neuer Befehl: »Aufstehen und einsteigen, aber flott!« Das Fahrzeug fuhr los, blieb aber gleich darauf abrupt wieder stehen. Unverständliche Laute von draußen. Etwa eine Minute später fuhren wir weiter.

Eine Weile noch hörte ich den starken Wind der Wüste, dann wieder Menschenstimmen und die Geräusche zahlloser Autos. Möglicherweise waren wir wieder in der Stadt. Es dauerte ein paar Minuten, und der Wagen blieb wieder stehen. Wieder näherten sich die Stimmen der Gefängniswärter. Wieder öffnete sich langsam die Tür. Und wieder kam der Befehl: »Aussteigen!« Ich erkannte den seltsamen Geruch des Gefängnisses wieder, den Geruch von Feuchtigkeit, den Geruch abgeschlafften Fleisches gefangener Menschen. War es dasselbe Gefängnis? Hatten wir nur einen Ausflug gemacht?

Die Gefängniswärter nahmen uns die Fesseln ab. Ich befand mich wieder in der großen Abteilung unseres Gefängnisses. Wir waren nur noch zwanzig Gefangene. Doch wo waren die anderen? Die Abteilung war vorher voll von Menschen, fast dreihundert Seelen. Keiner wusste irgendetwas.

Am Abend kam ein Wärter und schaute uns überrascht und mit offenem Mund an.

»Wisst ihr, dass ihr Heilige seid?«

»Wieso?«

»Ihr lebt noch!«

»Was meinen Sie? Soll das heißen, die anderen ...?«

»Ja, sie sind in der Wüste hingerichtet worden. Der Autoreifen hat euch gerettet.«   *executed*

Ich schwöre bei allen Autoreifen, das nächste Wunder folgte bald. In der irakischen Umgangssprache nennt man das Gefängnis »Hinter der Sonne«. Für mich war klar, dass ich das Leben »Vor der Sonne« nie wieder erlangen würde. Von der dunklen Seite aus ins Licht der Glühbirnen zu marschieren, hielt ich für ein Ding der Unmöglichkeit. Aber dennoch kam der Tag, an dem die Regierung eine Amnestie für alle politischen Gefangenen erließ. Weil meine Anklage so klein und unwichtig war, durfte ich zusammen mit anderen kleinen, unwichtigen Gefangenen doch noch einmal das Licht der Sonne sehen. Die wichtigen, großen Häftlinge waren längst hingerichtet. Einen Monat lang wartete ich auf meine Entlassung. Es war ein sehr langer Monat, länger als ein Jahrzehnt! Aber letztendlich befand ich mich doch wieder »Vor der Sonne«. Ich stieg in ein Taxi und stand kurze Zeit später vor der Tür meines Elternhauses. Ich klopfte. Das Gesicht meiner Mutter erschien.

»Ja?«

»Guten Tag!«

»Guten Tag!«

»Wie geht's?«

»Gut, und dir?«

»Auch gut. Erkennst du mich nicht?«

»Nein, wer bist du? Willst du einen von den Jungs?«

»Erkennst du mich wirklich nicht?«

»Nein!«

»Ich bin Rasul.«

Sie starrte mich sprachlos an, atmete schwer und sank bewusstlos zu Boden. Sie konnte mich nicht erkennen. Wie auch! Braun gebrannt, mit einem stattlichen Gewicht von fünfundachtzig Kilogramm war ich gegangen, mit fünfundfünfzig Kilo kehrte ich zurück, bleich wie ein Stück Gouda. Anderthalb Jahre kaum Brot und keine Sonne hatten mich bis zur Unkenntlichkeit verändert.

Ich schwöre bei der Amnestie, dieses Wunder brauchte noch ein Wunder, um mich wirklich zu retten. Das Wunder, aus dem Irak fliehen zu können. Die Götter und Teufel der Regierung hegten wohl, wie erwartet, den Wunsch, mich noch mal im Knast sitzen zu sehen – oder besser noch anstelle eines Ventilators an der Zellendecke zu hängen. Sie schickten mir einen amtlichen Brief, in dem sie von mir verlangten, mein Studium abzubrechen und mich beim Militär zu melden. Und zudem sollte ich mich bei der Sicherheitspolizei sehen lassen. Ich beschloss zu fliehen. Ich hatte nämlich nicht die geringste Lust, ein weiteres Mal »Hinter der Sonne« zu sein.

Ich verließ das Viertel meiner Familie und lebte versteckt bei Verwandten in einem anderen Viertel. Es gab so viel Polizei auf den Straßen, dass man hätte glauben können, sie seien ein eigenes Volk. Aber dank eines Freundes, der Abba hieß, konnte ich immer in Bewegung bleiben. Er versorgte mich innerhalb einiger Monate mit mehr als fünfzehn gefälschten Ausweisen, _Identität_ mit ebenso vielen unterschiedlichen Namen und Berufen. Jedes Mal musste ich meinen neuen Namen mitsamt den zugehörigen Informationen auswendig lernen. Ich frage mich bis heute, wer von ihnen ich eigentlich war, und vor allem, wer sie alle waren.

Endlich kam der Tag, an dem ich alle meine Namen hinter mir lassen konnte, um mit meinem richtigen Namen durch die Weltmeere zu segeln. Im Irak an einen Reisepass zu kommen, war nicht gerade leicht, aber ich habe es geschafft. Man musste zwei amtliche Nachweise erbringen: Einen über die Ableistung des Militärdienstes und einen über das Nichtbestehen eines Reiseverbots. Zudem kostete der ganze Spaß eine Million irakischer Dinar in Form von tausend US-Dollar. Alle drei Voraussetzungen konnte ich beim besten Willen nicht erfüllen. Natürlich bestand für meine Person ein Reiseverbot, natürlich hatte ich mich nicht beim Militär gemeldet, und natürlich hatte ich keine Million irakischer Dinar übrig, von amerikanischen Dollars ganz zu schweigen.

Ein Bekannter meines älteren Bruders arbeitete als Polizist und hatte jede Menge Kontakte zu verschiedenen Bagdader Behörden. Er machte mir das Angebot, meine Daten bei den Behörden zu verändern und einen Reisepass für mich zu erstellen, mit dem ich nach Jordanien fliehen könnte. Dazu aber brauchte er zweitausend Dollar. Zweitausend Dollar! Woher so viel Geld nehmen? Dieses Mal waren die Frauen der Familie meine Retter. Meine Schwestern verkauften ihren Schmuck, und meine Mutter verkaufte ihrem Bruder ihren Anteil am Haus ihres Vaters. So bekam ich das Geld zusammen, obwohl meine Familie kaum genug zum Leben hatte.

Innerhalb einer Woche gelang es dem Bekannten meines Bruders, alle meine Daten zu verändern: Aus anderthalb Jahren Haft aus politischen Gründen wurden anderthalb Jahre Militärdienst und aus einem flüchtenden Penner wurde ein Student der Kunstakademie. Endlich besaß ich einen Reisepass mit meinem wirklichen Namen. Auch das Reiseverbot verschwand für achtundvierzig Stunden aus dem Computer, was mir eine Zeitspanne von zwei Tagen verschaffte, innerhalb derer ich nach Jordanien ausreisen konnte. Nachdem alle Bestechungsgelder bezahlt waren, blieben noch genau dreißig Dollar übrig. Die gab mir der Bekannte als kleine Starthilfe fürs Ausland zurück.

Ich verabschiedete mich von meiner Familie und stieg in den Bus. Der ließ die irakische Grenze hinter sich und fuhr weiter Richtung Amman. Ich kann bis heute nicht glauben, dass es mir tatsächlich gelungen war, den Irak zu verlassen. Noch Jahre später verfolgte mich der schreckliche Albtraum, die irakische Polizei hätte mich an der Grenze verhaftet, und ich bettelte weinend darum, mich wieder frei zu lassen.

Auf der anderen Seite der Welt, in Jordanien, stiegen plötzlich zwei Uniformierte in den Bus. Sie nahmen hinter mir Platz. Oh Gott, nein! Was wollen die von mir? Sie sind bewaffnet. Verdammt noch mal, soll ich aussteigen und wegrennen? Es sind nur jordanische Soldaten. Aber Soldaten sind Soldaten. Vielleicht hat die irakische Regierung sie mir auf den Hals gehetzt!

Mit diesen und ähnlichen Gedanken verbrachte ich die langen Stunden bis zur Ankunft in Amman. Ich nahm meine Tasche, stieg aus und rannte. Rannte wie ein Weltmeister. Nach einer Weile blieb ich schwitzend stehen und drehte mich um.

Niemand hinter mir. Die Leute auf der Straße schauten mich an, als sei ich nicht ganz richtig im Kopf. Ein alter Mann stand vor seinem Lebensmittelgeschäft und winkte mich zu sich.

»Was ist los, mein Sohn? Warum rennst du so?«

»Nichts!«

»Woher kommst du?«

»Ich bin Iraker.«

»Ach so, komm und trink einen Schluck Wasser!«

Er gab mir ein Glas Wasser und klopfte mir auf die Schulter.

»Keine Angst! Hier ist nicht Irak, sondern Jordanien.«

Ich schwöre bei allen gefälschten Dokumenten: Alle diese Wunder habe ich nicht geplant, sie kamen immer von selbst, nach langen grausamen Zeiten.

Als meine Füße in Afrika gelandet waren, lebte ich dort jahrelang ohne ein einziges Wunder. Alle meine Versuche, das Mittelmeer zu überqueren, scheiterten. Ich nahm alle möglichen Jobs an, um zu überleben, bis der Tag kam, an dem ich Miriam kennenlernte. Ich erinnere mich noch genau an ihren Duft. Den Duft des Meeres am abendlichen Strand. Sie dürfte etwa Anfang zwanzig gewesen sein: ein rundes, weißes Gesicht, rote Lippen, als wären sie mit Chili geschminkt. Wir begegneten uns das erste Mal im Hotel »Großer Tourist« auf der Omar-Al-Mokhtar-Straße in Tripolis. Sie hatte eine Stelle als Zimmermädchen. Jeden Morgen kam sie in mein Zimmer, leerte den Mülleimer aus und grüßte mich freundlich: »Herzlich willkommen im Hotel Großer Tourist!« Lächelte und ging wieder weg. Erlaubte sie sich einen Scherz? Dieses Hotel hatte wahrlich nichts mit Touristen zu tun: ein alter Bau, sechs oder sieben Stockwerke hoch. Hier wohnten fast ausschließlich Ausländer, Schwule, Huren, Alkoholiker, Dealer und Verbrecher. Dazu Unmengen von Müll. Und ein Klo auf dem Gang, für alles geeignet, nur nicht, um aufs Klo zu gehen.

Miriam war Zimmermädchen und Hure zugleich. Ich bezahlte sie für die erste Nacht und sagte ihr, ich wolle nur reden und nicht vögeln.

»Wieso?«, fragte sie überrascht.

»Ich habe nie für Sex bezahlt.«

Trotzdem schliefen wir noch in derselben Nacht miteinander. In der zweiten Nacht gab sie mir das Geld zurück. Es war plötzlich so etwas wie Liebe, wie viele dieser eigenartigen Gefühle, die man nicht erwartet und die man nicht verstehen kann. Einen Monat lang blieb ich mit ihr zusammen. Sie wollte sogar die Kosten für meine Übernachtungen übernehmen, weil ich nicht mehr viel Geld hatte. Und obwohl eine Nacht im Hotel nur einen Dollar kostete, konnte ich mir das nicht mehr leisten. Sie erklärte:

»Mit den anderen mache ich meinen Job, aber mit dir schlafe ich, weil ich will.«

Sie wollte mir nie erzählen, warum sie sich verkaufte. Alles, was ich von ihr erfuhr, war, dass sie aus Marokko stammte und seit zwei Jahren hier im Hotel arbeitete. Das Hotel gehörte einem Polizeichef, der als Zuhälter in Tripolis stadtbekannt war. »Polizist oder Zuhälter – das macht hier keinen großen Unterschied«, meinte sie achselzuckend.

Sie musste diesem Zuhälter auch einen Teil ihres Verdienstes abtreten.

»Es gibt Dinge, die man besser nicht weiß, weil sie sehr gefährlich sein können. Aber du kannst mir glauben, dass hinter jeder Hure und hinter jeder Nonne eine traurige Geschichte steckt.«

Während dieser Zeit suchte ich wieder mal einen Job, fand aber nur Kleinigkeiten wie Baustellenarbeit. Mir bereitete mein irakischer Reisepass Sorgen, der nur noch einen Monat gültig war. Ihn von der irakischen Botschaft verlängern zu lassen, kam nicht in Frage. Ich wusste, was ich dort zu erwarten hatte. Einige schwierige Wochen voller Angst. Die libysche Polizei konnte mich jederzeit nach Ägypten abschieben. Die ägyptische nach Jordanien. Und die jordanische in den Irak. Doch dann kam die Nacht, die alles verändern sollte.

Ich spazierte am Abend die Strandpromenade entlang und beobachtete die Boote und die Schiffe, bevor ich auf die Omar-Al-Mokhtar-Straße zurückkehrte, um mir etwas zu essen zu besorgen. Ich überquerte den Grünen Platz und schlenderte weiter in Richtung einer Falafel-Bude. Plötzlich versperrten mir fünf Männer den Weg. Ich konnte ihre Gesichter nicht genau sehen. Sie schlugen auf mich ein, bis ich regungslos am Boden lag. Was soll das? Was war los? Keine Ahnung, worum es ging, bis einer zischte:

»Du Scheiß-Iraker! Wenn wir dich noch mal mit Miriam sehen, dann bist du tot!«

Ich blieb auf dem Boden liegen, schaute zu den Sternen am Himmel und konnte meine Tränen nicht zurückhalten. Mühsam richtete ich mich auf und versuchte, zum Hotel zu gehen. Mein Körper schmerzte überall. Ich schleppte mich durch die Massen von Unrat, den die Straßenverkäufer zurückgelassen hatten. Vor dem Hotel stand einer mit meiner Tasche. Als er mich sah, warf er sie mir vor die Füße und verschwand hinter der Tür. Ich nahm die Tasche und ging zur Strandpromenade, legte sie auf den Boden und meinen Kopf darauf. So schlief ich völlig erschöpft ein.

Endlose Albträume quälten mich, doch plötzlich sah ich Miriams Gesicht. Das war kein Traum. Die Sonne schien, und Miriam nahm mich an der Hand. Wir stiegen in einen Wagen. Der Fahrer sah nicht unbedingt arabisch aus. Sie sagte kein Wort zu mir. Stattdessen küsste sie mich die ganze Zeit. Der Fahrer war Türke, wie ich später erfahren sollte. Er setzte uns vor einer Wohnung in der Stadtmitte ab. Miriam nahm meinen Reisepass und gab ihn dem Türken. Der versprach, so schnell wie möglich wieder zurück zu sein. Miriam holte ein feuchtes Tuch und begann meine Wunden zu waschen. Danach holte sie eine

Schachtel LM aus ihrer Handtasche und legte sie vor mir auf den Tisch. Dann ging sie in die Küche, um Tee zu kochen. Mit dem Tee in der Hand erzählte sie mir, der Türke sei gerade dabei, mir ein Visum für die Türkei zu besorgen. [Wander)

»Wie soll denn das gehen? Das ist unmöglich! Mein Pass läuft bald ab, und die Türken geben einem Iraker nicht so einfach ein Visum!«

»Das musst du gar nicht so genau wissen. Jedenfalls fährst du heute in die Türkei.«

»Und du? Kommst du mit?«

»Ich kann nicht. Es ist mein Schicksal, hierzubleiben!«

»Wenn du für mich ein Visum machen lassen kannst, kannst du das doch auch für dich!«

»Du bist wie ein Kind. Du hast keine Ahnung, was draußen in der Welt passiert!«

Nachdem ich etwas Tee getrunken und eine Zigarette geraucht hatte, legten wir uns ins Bett, und ich schlief ein. Ich wachte auf und hörte Miriam. »Und?«

»Ich habe das Visum und das Ticket. Das Schiff fährt heute Nachmittag um vier«, antwortete der Türke.

Miriam schaute zur Wanduhr. »Wir haben noch zwei Stunden!«

Ich ging aufs Schiff. Miriam stand am Hafen. Mit einer Hand winkte sie mir nach, mit der anderen wischte sie die Tränen weg.

Seitdem habe ich nichts mehr von Miriam gehört. Innerhalb eines Jahres schrieb ich ihr sechs Briefe. Ich schickte sie an die Adresse des Hotels. Aber es kam keine Antwort.

Ich schwöre bei Miriam, dass ich selbst manchmal kaum glauben kann, was ich hier schreibe. Was danach passierte, passiert nicht einmal im Märchen. Zum Beispiel in Istanbul. Ich saß zusammen mit zwanzig Kurden in einer Zweizimmerwohnung im obersten Stock. Kaum dreißig Quadratmeter. Bei uns war auch ein

Turkmann aus dem Irak. Er hieß Ahmed, war sehr hübsch und träumte davon, nach Deutschland zu gehen, um dort ein großer Maler zu werden. Die Wohnung gehörte unserem Schlepper, der uns bald nach Griechenland bringen sollte. Der Schlepper war mir auf dem Taksim-Platz über den Weg gelaufen. Er kam direkt auf mich zu und fragte mich in gebrochenem Englisch:

»Griechenland?«

»Was?«

»Bist du Iraker, Iraner, Pakistani oder Afghane? Griechenland?«

»Ich bin Iraker.«

»Ich auch, aber Kurde.«

»Schön!«

»Willst du zu Fuß oder mit dem Auto?«

»Was ist der Unterschied?«

»Zu Fuß dauert es fast zwanzig Tage und kostet fünfhundert Dollar. Mit dem Auto nur zwei Tage, aber tausendfünfhundert Dollar.«

»Ich habe nicht so viel Geld. Also, zu Fuß bitte!«

»Komm mit!«

Ich glaube, die Schlepper kennen ihre Kundschaft sehr gut. Ein Flüchtling geht nicht wie ein normaler Mensch auf der Straße. Er hält alle um sich herum für Polizisten. Alle sind ihm verdächtig. Ihn interessieren weder Schaufenster noch Plakate noch Frauen. Er beobachtet nur die Gesichter der Menschen, und seine Augen wandern unruhig hin und her. Wie eine verrückt gewordene Uhr. Er dreht sich ständig um, und die Angst steht ihm ins Gesicht geschrieben. Bei mir waren diese Symptome wohl sehr deutlich ausgeprägt und leicht zu erkennen. Später erfuhr ich, dass viele Schlepper diese Fähigkeit besitzen, man nennt sie den Siebten Sinn eines Schleppers.

Keiner meiner Mitbewohner hatte einen Pass. Alle waren illegal aus dem Irak aus- und in die Türkei eingereist. Auch mein Reisepass war inzwischen ungültig und somit unbrauchbar geworden. Das bedeutete für uns alle, die ganze Zeit in der Wohnung bleiben zu müssen, um ja nicht in die Hände der türkischen Polizei zu fallen. Eine klare Abmachung: Die Tür durfte nur nach dreimaligem Klopfen geöffnet werden. Eines Nachmittags aber hämmerte jemand fünf oder sechs Mal daran. Wir standen alle wie gelähmt da. Die Angst hatte mich völlig demoralisiert. Ich konnte nur noch daran denken, in den Irak abgeschoben zu werden und wieder in den Händen der irakischen Polizei zu landen. Blitzschnell wurde die Tür aufgebrochen, und drei Polizisten standen vor uns. Sie schrien wild auf uns ein und drängten uns an die Wand. Ein dicker Polizist, mit einem Muttermal auf der Nase, trat einen Kurden mit dem Fuß in den Bauch, der zu Boden ging und zu kotzen anfing. Als ich das gesehen hatte, fiel mein Blick auf das offene Fenster unseres kleinen Zimmers, das direkt auf das Dach des Nachbargebäudes führte. Die zwei anderen Polizisten versuchten, den Kurden wieder auf die Beine zu stellen. Der mit dem Muttermal schaute ihnen dabei zu. Ich stieß mich kräftig von der Wand ab, rannte blitzschnell zum Fenster und sprang hinaus. Hinter mir hörte ich einen Schrei. Jemand folgte mir. Die Gebäude waren hoch, etwa zehn Stockwerke. Ich rannte und rannte und konnte einige Frauen hören, auf der Straße und auf den gegenüberliegenden Dächern. Sie schrien aus Leibeskräften: »Hırsız, hırsız, hırsız – Dieb, Dieb, Dieb«.

Ich erreichte das fünfte Gebäude. Alle weiteren waren durch die nächste Querstraße abgetrennt. Keine Chance! Ich blieb stehen, drehte mich um. Hinter mir sah ich Ahmed, den Turkmann, und einen der drei Polizisten, der uns durchs Fenster nachschaute. Auf dem Dach des letzten Gebäudes gab es dummerweise keine Tür. Ich blickte nach unten. Drei Stockwerke tiefer sah ich eine Terrasse. Suchend spähte ich nach links und rechts. Nur eine Dachrinne und mehrere Fensterbretter. Ich sprang und landete mit einem Fuß auf der Dachrinne. Hüpfte weiter auf ein

Fensterbrett. Ahmed direkt hinter mir. Das Fensterbrett brach unter unserem Gewicht ab. Wir stürzten auf die Terrasse. Als ich mich wieder aufgerappelt hatte, stand Ahmed schon an der Terrassentür. Verdammt, zu! Hilflos schauten wir uns an.

»So eine Scheiße!«

Auf einmal hörten wir eine Stimme: »Gelmek – Komm!« Sie gehörte einem alten Mann, der sich aus einem Fenster lehnte. Er winkte uns zu sich und bedeutete uns durch Handzeichen, wir sollten durchs Fenster steigen. Ahmed kletterte als erster hinein, ich gleich hinterher.

Der Mann bot uns einen Platz an und begann uns auszufragen. Ahmed konnte gut Türkisch, wie alle irakischen Turkmänner. Er übersetzte für mich. Nachdem wir ihm zu verstehen gegeben hatten, keine Diebe, sondern Iraker zu sein, die nach Griechenland wollen, fragte uns der Mann:

»Seid ihr Schiiten?«

Ahmed antwortete: »Ich nicht, aber mein Freund Rasul schon.«

Der Alte lächelte. »Ich heiße Ali und bin Alevit. Wir Aleviten haben viel Ähnlichkeit mit den Schiiten. Die türkische Regierung macht uns das Leben hier auch zur Hölle.«

Er erhob sich, reichte mir die Hand zum Gruß, umarmte und küsste mich und nannte mich »Bruder Rasul«.

Er brachte uns zu essen und zu trinken und redete die ganze Zeit mit Ahmed über den Irak. Ahmed fragte mich ab und zu etwas und übersetzte mir einige Stellen. Nach etwa zwei Stunden meinte Ali, er werde auf die Straße hinuntergehen und nachsehen, ob die Polizei noch da war. Ein paar Minuten später war er wieder zurück. »Die Luft ist rein. Keine Polizei weit und breit.«

Er bot uns an, bei ihm zu übernachten, aber wir beschlossen zu gehen. Wir bedankten und verabschiedeten uns herzlich. Ich habe Ali nie wieder gesehen.

Ahmed kannte noch andere Schlepper. Für mich besorgte er

einen kurdischen, er selbst ging mit einem Turkmann. Später traf ich ihn noch einmal in Athen am Omonia-Platz. Ahmed erkannte mich nicht. Er stand neben einem Schlepper, der mehrere halbstarke Bodyguards bei sich hatte. Ich grüßte ihn. Er schaute mich an. Doch seine blauen Augen blickten verloren ins Leere und hatten einen riesigen, schwarzen Kreis in der Mitte. Er sah nicht mehr so hübsch aus wie damals in der Türkei, sondern ähnelte eher einer halbverfallenen Ruine. Ein paar Flüchtlinge erzählten mir, er sei der »Sexsklave« dieses Schleppers geworden. Der habe ihn auf Droge gebracht und nun würde Ahmed ihn als seine »Frau« begleiten.

Ich schwöre bei Ali und den Aleviten: Ich wollte keine Wunder mehr nötig haben. Natürlich nicht, was ist das für ein Schicksal? Aber mir blieb keine Wahl. Auch das nächste Wunder kam wieder völlig unerwartet über mich. Dieses Mal befand ich mich mit einem Schlepper und dreiundzwanzig anderen Flüchtlingen bereits auf der griechischen Seite des Grenzflusses Ebrus. Wir marschierten knapp drei Wochen lang von der türkischen Grenze in der Nähe von Edirne, vorbei an Komotini, bis Xanti, der letzten Station. Tagsüber schliefen wir in den Wäldern oder in den Bergen. Von abends um sechs bis morgens um fünf liefen, oder besser rannten wir über verborgene Wege durch Griechenland. Ab Xanti war ein Weiterlaufen unmöglich. Es gab dort nur noch unpassierbare Berge oder das Meer, wie der Schlepper erklärte. Wir mussten auf einen Lastwagen warten, der uns nach Thessaloniki oder Athen bringen sollte. Eine Woche lang lagerten wir hinter einem Hügel, in der Nähe einer alten, verlassenen Fabrik. Um uns herum gab es nur kleine Felder und staubige Erde. Der Lastwagen kam nicht. Dafür aber Banditen. Spät nachmittags, kurz vor der Abenddämmerung. Wir hörten nur die Schüsse. Der Schlepper sprang schnell auf. Ich und fünf weitere Männer flohen mit ihm. Wir rannten, was wir konnten, und schauten uns nicht um. Aber wir hörten die Geschosse links und rechts an uns vorbeipfeifen. Ich fiel mehrere Male hin, rappelte mich aber immer wieder auf und rannte weiter. Wir steuerten direkt auf die Fabrik zu und versteckten uns. Niemand folgte uns. Der Schlepper sah mich fragend an.

»Rasul, bist du verletzt?«

»Was?«

»Scheiße, du blutest! Sie haben dich erwischt!«

Ich hatte überhaupt nichts gemerkt und spürte keinen Schmerz. Aber in der Tat war ich zwei Mal getroffen worden. Eine Kugel durch meine rechte Hand, die andere tief in meiner linken Wade. Der Schlepper untersuchte mich genauer.

»Das sind keine richtigen Kugeln. Sieht aus, als wären die für Tiere. Dann waren das also keine Polizisten!«

Wir warteten noch zwei Stunden, bis wir in unser Lager zurückkehrten. So verhielten sich alle Schlepper: nach zwei oder drei Stunden wieder zurück an den Ausgangspunkt. Als wir ankamen, waren alle von unserer Gruppe da. Sie erzählten, die Männer wollten Geld. Und sie bekamen es. Sie waren sieben, alle bewaffnet, und sie trugen Masken. Keiner wusste, ob es Polizei oder einfache Banditen waren. Der Schlepper entschied, dazubleiben und hier zu übernachten. Am nächsten Tag wollte er versuchen, eine Lösung zu finden. In der Nacht aber fing mein Bein an weh zu tun. Ein sehr heftiger, pochender Schmerz. Am nächsten Morgen wandte sich der Schlepper an mich:

»Du musst allein mit dem Zug fahren. Unsere Lastwagen kommen frühestens in drei bis fünf Tagen. So lange hältst du nicht durch. In spätestens drei Tagen bist du ein toter Mann. Ich werde für dich ein Ticket kaufen, und dann fährst du mit dem Zug nach Athen. Wenn du in Athen ankommst, bist du gerettet. Und wenn dich die Polizei festnimmt, bist du auch gerettet, weil sie dich ins Krankenhaus bringen werden.«

Ich willigte ein. Ein Kurde, er hieß Imad, meinte, er habe

die Nase voll und wolle mich begleiten. Kurz nach Mittag kam unser Schlepper mit einem Auto, das ein Grieche lenkte. Der Schlepper gab uns die beiden Fahrkarten und erklärte uns, der Grieche werde uns zum Bahnhof bringen.

Wir rasierten uns und zogen frische Kleider an, die jeder Flüchtling für solche Fälle in seinem Rucksack hat. Dann stiegen wir ein. Der Grieche verlor kein Wort. Chauffierte uns durch eine kleine Stadt und hielt dann neben einem niedrigen Gebäude, an dem ein Schild angebracht war: »Xanti Station«. Er ging sofort weg. Nach zwei Minuten kam er wieder und begleitete uns zum Bahnsteig. Fünf Minuten später stiegen wir in den Zug und er verabschiedete uns mit einem kurzen »Jassu – Tschüß!«.

Der Zug fuhr an. Nach einer Weile stand der Schaffner vor uns und kontrollierte unsere Tickets.

Er sagte: »Pass.«

Ich sagte: »No.«

Er nahm uns mit in den vorderen Teil des Zuges, nahe der Lokomotive, und versuchte uns begreiflich zu machen, wir sollten hier auf ihn warten. Ging ins Führerhaus und griff zum Telefon. Imad und ich schauten uns an und gaben keinen Ton von uns. Natürlich war uns klar, was das für uns zu bedeuten hatte. Der Zug begann langsamer zu fahren. Nicht weit weg schien eine kleine Stadt zu sein. Der Schaffner kam wieder aus dem Führerhaus, ging an uns vorbei Richtung Zugmitte. Der Zug blieb stehen, die Türen wurden geöffnet und die Reisenden stiegen aus. Imad schaute mich an und flüsterte mir zu: »Keine Polizei!« Ohne zu zögern sprangen wir aus dem Zug und rannten die Straße hinunter. Es war dunkel, und niemand folgte uns.

Wir liefen auf einen großen Park zu. Dort saßen viele Leute, die aßen oder sich unterhielten.

»Mann, das ist ja wie in einem Action-Film!«, grinste Imad.

»Ja, du hast Recht, Action-Film nach einer wahren Begebenheit.«

Glücklicherweise hatte ich keinerlei Schmerzen, als gäbe es gar keine Kugel in meinem Körper. Wir verbrachten im Park die Zeit damit, die Leute auf der Straße zu beobachten, und wunderten uns über die schönen griechischen Frauen. Die Zeit verging schnell, und wir wussten nicht so recht, was wir unternehmen sollten. Im Park sprach ich einen jungen Burschen an, der ein Bier und Erdnüsse neben sich stehen hatte.

»Hello, can you help me? I would like a ticket to Athens. I have money. Can you buy for me?«

Wo genau wir uns befanden und wie die kleine Stadt eigentlich hieß, interessierte uns zu diesem Zeitpunkt eher weniger. Ich war immer der Ansicht gewesen, wir seien in Kavala. Doch dort gab es gar keinen Zug und dementsprechend auch keinen Bahnhof, wie ich erst Jahre später erfahren habe. In Wirklichkeit saßen wir in Drama. Ein Name, wie er nicht besser zu unserer Situation passen konnte.

Mein Englisch war nicht so besonders, doch das des jungen Griechen auch nicht viel besser. Trotzdem erweckte er den Eindruck, als freute er sich über unsere kleine Unterhaltung. Und so schien es, als hätte unser tragisches Drama in Drama seine Lösung gefunden. Ich erzählte dem Griechen, wir seien Iraker und wollten uns die Tickets nicht selber kaufen. Er begleitete uns bis zu einem kleinen Park vor dem Bahnhofsgebäude. Dann ging er allein hinein. Kurze Zeit später kehrte er zurück und erklärte uns, eine Fahrkarte nach Athen koste zwanzig Dollar und der Zug fahre um ein Uhr früh. Imad gab ihm schnell fünfzig Dollar. Der Junge besorgte die Tickets. Die restlichen Dollar hatte er in Drachmen gewechselt. Imad meinte, er könne das Geld behalten. Er schaute uns lächelnd an und steckte das Geld in seine Tasche. Schließlich zeigte er auf die Uhr über dem Bahnhofseingang: »You have only thirty minutes.« Er verabschiedete sich von uns, und wir bedankten uns bei ihm.

Wir warteten. Es war eine sehr lange halbe Stunde. Imad

glaubte in jeder Person, die sich in Bahnhofsnähe aufhielt, einen Polizisten zu erkennen. Ich versuchte, ihn zu beruhigen, obwohl ich dasselbe Gefühl hatte. Er aber schwor bei allen seinen Heiligen, sie sähen alle wie Polizisten aus. Trotzdem bewegten wir uns langsam in Richtung Bahnhofshalle. Kurz bevor wir dort angekommen waren, hielt ein Bus vor dem Eingang, und eine Gruppe Afrikaner, begleitet von zwei blonden Griechen, stieg aus. Innerhalb kürzester Zeit hüllte sich der kleine Bahnhof in die Geräuschkulisse eines türkischen Basars. Überall ertönte ein fröhliches »Hallo, Afrika!«. Schnell packte ich Imad am Arm, und wir mischten uns unauffällig unter die Afrikaner, in deren Schutz wir unbehelligt den Zug besteigen konnten. Im Zug meinte Imad, es sei besser, wenn wir uns trennten. »Wenn einer von uns verhaftet wird, suchen sie vielleicht nicht mehr nach dem anderen.«

Also ging er nach rechts und ich nach links. Ich setzte mich einer alten Dame gegenüber. Wohl so um die siebzig und meiner Großmutter verdammt ähnlich, die gestorben war, während ich in Bagdad im Gefängnis gesessen hatte. Ich glaubte sogar, ihr Lächeln im Gesicht der alten Dame wiederzuerkennen. Legte meinen Kopf an die Lehne und schloss die Augen.

Plötzlich fühlte ich eine weiche Hand auf meiner Rechten. Erschrocken riss ich die Augen auf. Die alte Dame hatte sich über mich gebeugt und blickte mich besorgt und ein wenig ängstlich an. Sie begutachtete meine Wunde, die sich im Laufe des Tages entzündet hatte und ziemlich schlimm aussah. Sie sprach mich auf Griechisch an. Ich antwortete nur: »I am from Iraq.«

Sie kannte nur einige wenige Wörter auf Englisch. Sie sagte: »Ticket.«

Ich hielt es ihr hin und sie nahm es an sich. Beruhigend flüsterte sie »okay!« und versuchte mir mit den Händen begreiflich zu machen: »Schlaf ruhig! Ich kümmere mich um den Rest!«

Ich glaube, das Wort »Irak« genügte ihr, um zu verstehen,

worum es ging. Während der gesamten Reise war sie mein Schutzengel. Wenn die Fahrkartenkontrolle kam, zeigte sie unsere beiden Tickets, und ich bin mir fast sicher, sie erzählte dem Schaffner, ich gehörte zu ihr. Sie kaufte für mich sogar Käse, Brot und eine Cola. Ich schlief wie ein Kind. Ein paar Mal wachte ich kurz auf, schlief aber gleich wieder ein und weiter bis zum nächsten Tag, als der Zug in Athen ankam. Sie begleitete mich noch bis zum Roten Kreuz, wo sie mich mit einem freundlichen »Bye, bye!« in die Obhut einer Krankenschwester gab.

Ich weiß nicht mehr so genau, ob diese alte Dame eine griechische Göttin in meinem Delirium war oder Wirklichkeit. Ich weiß nur, wie mich im Zug sehr starke Schmerzen einholten, die ich vorher wegen der Anspannung der Flucht kaum zur Kenntnis genommen hatte. Wahrscheinlich habe ich deswegen nicht alles so deutlich mitbekommen, aber das liebevolle Gesicht der alten Dame ist mir bis heute in Erinnerung geblieben. Ich hatte nicht die leiseste Ahnung, wo Imad abgeblieben war. Und der Arzt vom Roten Kreuz sagte zu mir: »Es ist ein Wunder, dass du noch am Leben bist.«

Ich schwöre bei der alten griechischen Göttin, ich kann die Welt hassen und gleichzeitig lieben und die Menschen ebenso. Es gab immer Mörder und Retter, Hassende und Liebende. Ich entschied mich aber schon früh, die Welt zu nehmen, wie sie ist. Ich weiß, irgendwann tritt immer ein Wunder in mein Leben. Das ist mein Trost in dieser Welt. Das nächste kleine Wunder kam schnell. Einige Tage vor Silvester. Ich saß in Patras. Diese kleine, unscheinbare Stadt hatte einen schönen, großen Hafen, von wo aus viele Schiffe nach Italien fuhren. Überall in Patras lagerten Flüchtlinge, in alten Häusern, in alten Fabriken, im Park. Ich kampierte wochenlang auch bei ihnen. Man hörte, die Polizei werde zwischen Weihnachten und Neujahr nicht so scharf kontrollieren. Täglich verschwand eine Reihe von Flüchtlingen. Sie waren merklich weniger geworden. Ich aber hatte bisher immer Pech gehabt in Patras. Vier Mal war ich schon von den muskelbepackten Hafenpolizisten festgenommen worden. Und jedes Mal war ich mit einem kräftigen Fußtritt eines noch kräftigeren Polizisten aus dem Hafengelände hinausbefördert worden.

Am 29. Dezember schlenderte ich trübsinnig an der Hafenmauer entlang und schaute sehnsüchtig den Lastwagen, den Schiffen und den normalen Reisenden nach. Die Abenddämmerung war bereits hereingebrochen. Plötzlich setzte ein Gewitter ein, begleitet von einem heftigen Platzregen. Der Hafen war mit einem Mal menschenleer geworden. Ein Lastwagen ohne Plane stand direkt vor einem startbereiten, großen Schiff. Reflexartig erklomm ich die Mauer, sprang auf der anderen Seite wieder hinunter, rannte schnurstracks auf den Lastwagen zu und versteckte mich im hinteren Teil des Laderaums. Ich fand eine große, schwarze Plastikplane, warf sie über mich und blieb mucksmäuschenleise und ohne jede Regung darunter liegen. Etwa zehn Minuten später ließ der Regen nach. Ich hörte den Fahrer einsteigen. Er ließ den Motor an und fuhr direkt auf das Schiff. Weitere zwanzig Minuten später setzte es sich in Bewegung.

Es dauerte lange, bis ich keine Stimmen mehr hörte. Ich schaute mich auf dem Lastwagendeck um. Es gab so viele LKWs, dass ich die Qual der Wahl hatte. Ich entschied mich, aus Sicherheitsgründen einen anderen Lastwagen zu suchen. Fand einen weißen Lastwagen mit der Aufschrift »Italien« an der Tür. Warum nicht den? Und so packte ich meine Flüchtlingsausstattung aus: eine kleine Rasierklinge, ein Klebeband und eine Plastiktüte. Mit der Raserklinge durchtrennte ich die Plane des Lastwagens und kletterte durch den Schnitt ins Innere. Dort waren bis unter die Decke Kartons gestapelt. Trotzdem fand ich einen guten Platz, auf dem ich liegen konnte. Jetzt kam das Klebeband zum Einsatz, um den Schnitt von innen wieder schließen zu können. Die Plastiktüte brauchte ich als Pinkelflasche.

Die ganze Reise über hörte ich nichts außer dem pfeifenden Wind, den tosenden Wellen und den quietschenden Lastwagen, die sich mitsamt dem Schiff schaukelnd hin- und herbewegten. Die Überfahrt dauerte sehr lang. Ich musste die ganze Zeit ruhig an meinem Platz liegen bleiben. Endlich legte das Schiff an. Der Lastwagen setzte sich aufheulend in Bewegung. Es dauerte mehr als zwanzig Minuten, ehe er wieder zum Stehen kam. Ich hörte den Fahrer aussteigen und die Tür zuschlagen. Ich wartete noch ungefähr fünf Minuten ab, dann befreite ich den Riss in der Plane vom Klebeband, streckte vorsichtig meinen Kopf nach draußen und sah mich neugierig um. Der Himmel war vollkommen dunkel. Ich blickte nach unten. Ich befand mich auf einem Hafengelände. In irgendeinem Hafen. Irgendwo. Ich glaubte jedoch sofort, es könne nur ein europäischer Hafen sein. Alle Lastwagen und Plakate mit lateinischen Druckbuchstaben beschriftet. Kaum Menschen zu sehen.

Ich sprang auf den Boden und ging langsam Richtung Hafenumzäunung. Sie war sehr hoch. Auf der anderen Seite konnte ich eine hell erleuchtete Straße erkennen, auf ihr viele Menschen. Von den Schleppern hatte ich immer gehört, ein Flüchtling dürfe in Italien alles Mögliche anstellen, nur eines nicht: sich innerhalb eines Hafengeländes von der Polizei festnehmen lassen. In diesem Falle schiebe man ihn sofort ab. In die Türkei oder sonst wohin. Außerhalb des Hafens gefasst, dürfe man auf jeden Fall in Italien bleiben, weil Italien ein Asylland ist.

Und so rannte ich das letzte Stück wie ein Pferd direkt auf die Umzäunung zu und schwang mich – ich weiß nicht wie – mit einem mächtigen Satz auf die andere Seite wie ein Olympionike. Ich schaute hinter mich, konnte aber nichts Ungewöhnliches erkennen. Und so versuchte ich, möglichst unauffällig weiterzugehen. Wie ich diesen waghalsigen Sprung geschafft habe, ist mir unerklärlich. Doch Angst verleiht ja bekanntlich außerordentliche Kräfte, wenn nicht sogar Flügel.

Auf der schön beleuchteten Straße angekommen, fragte ich mich durch zum Bahnhof und zu den Zügen nach Rom. Ich war mir nun sicher, in Italien zu sein. Die unzähligen Pizzerias konnte man kaum übersehen. In welcher Stadt genau, interessierte mich kein bisschen. Mein einziges Interesse galt dem nächsten Zug nach Rom. Im großen Bahnhof kaufte ich ein Ticket und fuhr noch in derselben Nacht, ohne Polizei oder lästige Fahrkartenkontrolleure, weiter in die Hauptstadt. Viel später fand ich heraus, dass ich im Hafen von Bari von Bord gegangen war. Am frühen Morgen erreichte ich Rom, wo ich, den Hauptbahnhof kaum verlassen, auf meine immerwährenden Freunde, die Flüchtlinge, stieß, die sich bereits in allen Ecken auf dem riesigen Gelände des römischen Bahnhofs Termini häuslich eingerichtet hatten.

Ab ungefähr neun Uhr abends schloss ich mich einer Menschenmenge an, die mich geradewegs zu einem großen Gebäude auf einem riesigen Platz führte. Dort hielt ein Mann eine Ansprache, dem Applaus nach zu urteilen ein Prominenter. Vielleicht der Papst? Nach mehreren Jahren und ebenso vielen Silvestern erfuhr ich, wo ich mein erstes Silvester auf europäischem Boden tatsächlich gefeiert hatte. Es war das Denkmal Victor Emmanuels, die Schreibmaschine, wie es von den Einwohnern dieser imposanten Metropole ironisch genannt wird.

Ich schwöre beim Regen und bei Silvester, keinerlei weitere Wunder haben zu wollen. Ich hatte genug Wunder erlebt und wollte eigentlich nur noch meinen Frieden. Aber trotzdem kreuzte dann doch noch ein winziges Wunder meinen Weg. Ich war bereits in Deutschland, genauer in Bayreuth, in einem Asylantenheim gelandet. Die Richter und mein Übersetzer hatten sich meine ganze Geschichte angehört. Sie meinten, sie könnten mir die Asylberechtigung nur dann erteilen, wenn ich einen Nachweis für meine Inhaftierung aus politischen Gründen im Irak erbringen könnte. Schon wieder ein Nachweis. Wie stellten die sich das nur vor? Welcher irakische Folterer wäre so liebenswürdig, mir schriftlich zu bestätigen, er habe mich fast zu Tode geprügelt oder wer weiß was sonst noch alles mit mir angestellt. Doch dann erinnerte ich mich glücklicherweise an einen Tag während meines Gefängnisaufenthaltes, als wir Besuch von einer europäischen Organisation bekommen hatten. Nach dem zweiten Golfkrieg hatten die Vereinten Nationen von der irakischen Regierung verlangt, einigen internationalen Organisationen zu erlauben, irakische Behörden und Gefängnisse zu inspizieren und darüber zu berichten. Diese Organisationen hatten auch Namenslisten von Häftlingen angelegt, eine Maßnahme, die ich damals als Schwachsinn und völlig zwecklos abgetan hatte. Trotzdem hielt ich es für angebracht, der Richterin davon zu erzählen. Sie versprach mir, bei Amnesty International Nachforschungen bezüglich meiner Person anzustellen. Ein paar Wochen später bekam ich Besuch von meinem Übersetzer. Er grinste mir triumphierend ins Gesicht und schaute mich an, als sei ich ein Held: »Verdammt, die haben doch tatsächlich deinen Namen gefunden.«

Ich schwöre bei Amnesty International, dass ich mich häufig gefragt habe, wieso ich überhaupt noch lebe. Warum sind alle diese Wunder in mein Leben getreten? Warum ausgerechnet ich? Ich glaube, es gibt keine Antwort auf derartige Fragen. Aber so habe ich meine eigenen, ganz persönlichen Heiligen bekommen: Amnesty International, den Regen, Silvester, das Rote Kreuz, die alte griechische Göttin, Ali und die Aleviten, Miriam, gefälschte Dokumente, meine Mutter und meine Schwestern, die Amnestie und nicht zuletzt die Autoreifen. Sie alle sind mir ein Trost in den Unwettern dieser Welt.

7

Auf den Flügeln des Raben

Bei vielen Völkern fürchten die Menschen den Raben. Sie betrachten ihn als Unglücksvogel, als Unheilsbringer für die Menschheit. Ich war oft so ein Unglücksrabe für die Menschen. Wo ich auch hinging, ließ das Unglück nicht lange auf sich warten. Ohne es zu wollen, brachte ich meinen Mitmenschen nur Kummer und Elend. Das war mein Schicksal, mein ganz persönliches Schicksal.

Es begann in Bagdad. Als ich in die erste Klasse der Grundschule kam, erlangte der irakische Diktator Saddam Hussein die erste Klasse der Macht. Ich scheiterte in der Schule, und die Lehrer nannten mich »den Dummen«. Saddam scheiterte an der Macht und verwandelte durch seine Dummheiten das Land in eine Hölle. Ich kann mir gut vorstellen, dass all die Kriege und Katastrophen im Irak in der Zeit seit meiner Geburt nur meinetwegen geschehen sind. Der Irak war nur noch eine Ruine, als ich ihn hinter mir ließ. Von Anfang an war ich sein Unglücksrabe. Das habe ich auch später immer wieder festgestellt, wenn ich mich in anderen Ländern aufhielt. Ich war und bin überzeugt davon – felsenfest.

Der Unglücksrabe in mir zerstörte das Leben vieler Menschen. Ich war es, der viele Länder der Erde verwüstete. Ja, das habe ich tatsächlich getan. Zu viele Katastrophen und Leichen säumten meinen Weg. Ich versuchte immer wieder, nicht daran zu glauben, aber das Schicksal wollte es nicht anders. Immer wiederholte sich dasselbe Spiel. Kaum hatte ich die jordanische Hauptstadt Amman betreten, brach die Brotrevolution aus. Innerhalb kürzester Zeit hatte ich Jordanien mit meinem schwarzen Vogel auf den Kopf gestellt. Die jordanische Regierung hatte den Brotpreis erhöht, und so gingen die Armen im Süden auf die Straßen, um ihrem Unmut darüber Luft zu verschaffen. Bis dahin war das noch keineswegs schlimm. Was dann aber schlimm wurde, war die Niederschlagung des Aufstands mit Waffengewalt. Man sprach von vielen Opfern.

Einen Monat später wollte ich die kleine Stadt Al-Karak besuchen, wo die Brotrevolution ihren Anfang genommen hatte. Die Polizei aber ließ den Bus nicht passieren. Es hieß, nur Soldaten dürften in die Stadt hinein oder heraus. Durch die Fenster des Busses aber sah ich nichts als Ruinen. Doch nicht nur Al-Karak habe ich zerstört, sondern auch die Arbeit im ganzen Land. Nach der Brotrevolution sprach man nämlich nur noch von Arbeitslosen weit und breit.

Viele meiner ebenfalls nach Jordanien geflohenen Landsleute bemerkten, seit meiner Ankunft in Jordanien habe die Schwemme irakischer Flüchtlinge kein Visum mehr für die umliegenden Länder erhalten. Einzige Ausnahme: Libyen und Jemen. Für mich war Jordanien unerträglich und deprimierend geworden. Ich wäre bereit gewesen, nicht nur nach Afrika zu fliehen, sondern sogar auf einen anderen Planeten. Hauptsache weit weg von Jordanien, denn hier hatte ich inzwischen beinahe alles vernichtet.

Ich ließ Jordanien und seine Ruinen hinter mir und floh nach Afrika, genauer nach Libyen. Kaum hatte ich das Land betreten, legte ich die Hand aufs Herz, aus Angst, ich könnte wieder alles verwüsten. Am Anfang schien alles in Ordnung. Einen Monat, zwei, drei und das Land blieb okay, bis es von einem gewaltigen Hammer getroffen wurde. Die amerikanische und einige andere westliche Regierungen forderten mehr und stärkere Embargo-Maßnahmen gegen Libyen. Der libysche Dinar sank mit einem Schlag auf ein Drittel des Wertes gegenüber dem US-Dollar. Von einem Tag auf den anderen wurde alles teurer. Ich sagte mir, das sei ja nicht so schlimm. Doch dann verbreitete sich plötzlich die Nachricht über Aids im Land. Man sprach von Ärzten und Krankenschwestern aus Bulgarien, die in Benghazi gearbeitet hatten und angeblich eine Vielzahl von Menschen, darunter auch Kinder, mit HIV infiziert hätten. Das war ein Skandal unter der einfachen Bevölkerung, und dabei hatte niemand genaue Informationen über das Was, Wie, Wer oder Warum der ganzen Angelegenheit.

Der nächste Skandal war schon unterwegs. Ich hielt mich noch in Benghazi auf, da ereigneten sich in der nicht weit entfernten Stadt Al-Bayda' äußerst merkwürdige Dinge. Der libysche Herrscher, so hieß es in den Fernsehnachrichten, habe sich beim Sport ein Bein gebrochen. Seltsamerweise bevölkerten nach diesem Vorfall nur Soldaten und Polizisten die Straßen. Täglich sah man über Benghazi Flugzeuge in Richtung Al-Bayda' fliegen. Tagelang herrschte Totenstille und Angst in der Stadt und in den Augen der Menschen. Später munkelte man, ein paar Leute aus Al-Bayda' hätten versucht, den libyschen Herrscher zu töten, hätten es aber nur geschafft, ihn zu verletzen. Die Stadt wurde zur Sperrzone erklärt. Überall verbreiteten sich Gerüchte: nichts als Leichen und Ruinen in Al-Bayda'.

Wäre ich länger in diesem Land geblieben, wäre vielleicht am Ende das ganze Land zur Sperrzone erklärt worden.

Ich verließ den Tod und Libyen und fuhr mit dem Schiff in die Türkei. Sieben Tage auf dem Meer, mit der Hoffnung auf einen neuen Anfang, so weit weg wie möglich vom Orient. Um drei Uhr nachts sprach der Kapitän in sein Funkgerät:

»Wir erreichen jetzt türkische Gewässer.«

Fünf Minuten später ein zweites Mal:

»Ich bitte um Ihre Aufmerksamkeit!«

Einige Sekunden Schweigen.

»Das stärkste Erdbeben der türkischen Geschichte hat das Land erschüttert. Ganze Städte sind zerstört und unzählige Menschen ums Leben gekommen. Es wird mit weiteren Erdbeben gerechnet.«

Fassungslos ließ ich den Kopf in meine Hände sinken und murmelte:

/ »Verdammt, was habe ich nur getan?« /

Am nächsten Tag erreichten wir Izmir. Alles sah ganz normal aus, die Häuser, die Menschen. Keine Spur von einem Erdbeben. Ich versuchte, irgendwo eine arabische oder englische Zeitung zu ergattern, fand aber keine. Am selben Tag noch fuhr ich weiter mit dem Bus nach Istanbul, vorbei an einer Menge Häuser, die eigentlich gar keine Häuser mehr waren, sondern nur noch Ruinen. Die Busfahrt dauerte ziemlich lange. Krampfhaft versuchte ich zu schlafen, um all die Zerstörung um mich herum nicht anschauen zu müssen.

Istanbul war oberflächlich betrachtet eigentlich noch in gutem Zustand, aber hie und da erblickte ich bei genauerem Hinsehen doch etliche zerstörte Häuser. Und Familien, die unter freiem Himmel in Parks und Grünanlagen kampierten. Einige hatten sogar kleine Kocher dabei, und ich konnte die leicht chaotische Atmosphäre in der Stadt spüren. Am Ostbahnhof fand ich eine arabische Tageszeitung mit folgender Nachricht:

»Gegen drei Uhr wurden im türkischen Marmara-Gebiet im Nordwesten der Türkei die Städte Adapazari, Gölcük, Izmit und Yalova von einem Erdbeben der Stärke 7,4 erschüttert. Dabei kamen schätzungsweise über 40 000 Menschen ums Leben und knapp 300 000 wurden obdachlos.«

Ich fühlte eine unsägliche Trauer und befürchtete, dass mein Unglücksvogel noch Schlimmeres über das Land bringen könnte. Das Beben war noch nicht zu Ende. Es gab an diesem Tag noch mehrere Nachbeben, aber glücklicherweise nicht mehr ganz so folgenschwer.

Am ersten Tag blieb ich im Hotel am Taksim-Platz. Um Mitternacht begann das Glas auf dem Tisch zu zittern. Die Glühbirne an der Decke und sogar das Bett wackelten. Hotel und Erde wurden von unsichtbaren Händen geschlagen. Ich hörte Schreie, packte meine Tasche und stürzte in Windeseile auf die Straße. Die ganze Wand hatte mittendurch einen Riss. Ich entschloss mich, mit einigen anderen Leuten im Park zu übernachten. Zugegeben, dieses Unglück hatte Vorteile für mich. Ich wollte das keineswegs, aber es war in der Tat so. Ich bekam Essen von verschiedenen Hilfsorganisationen und musste für Hotelübernachtungen keine Lira bezahlen. Für mich war das ein Traum, denn ich hatte ja kaum Geld. Demzufolge ging es zu dieser Zeit allen Flüchtlingen in der Türkei verhältnismäßig gut. Keine polizeilichen Nachforschungen, keine lästigen Willkürmaßnahmen oder Schikanen. Die Polizei hatte genügend andere Probleme.

Für kurze Zeit verlor das Erdbeben die Türkei aus den Augen. Etwa drei Monate später forderte ein erneutes Beben im Kreis Düzce weitere 6500 Tote. Ich konnte es nicht mehr ertragen, in diesem Land zu verweilen. Immer wenn ich ein zerstörtes Haus oder traurige, verzweifelte Menschen sah, dachte ich, das alles sei meine Schuld.

Es dauerte Monate, bis die Türken von mir und meinem Fluch befreit wurden. Ich erreichte Athen. Aber als ich mich dort ein wenig umgesehen hatte, glaubte ich, in der falschen Stadt zu sein. Von wegen Philosophen. Nur Obdachlose und Flüchtlinge. Viele Gebäude zerstört, als sei zufällig einer der irakischen Kriege vorbeigekommen. Es war aber kein Krieg, sondern ebenfalls ein Erdbeben, nämlich dasselbe, das anschließend die Türkei verwüstet hatte. Athen war also bereits zerstört, als ich ankam, wahrscheinlich eine besondere, auf mich persönlich zugeschnittene Art der Begrüßung. Und zu allem Überfluss auch noch voll besetzte Hotels. Man musste sogar um einen Platz unter einer der vielen Brücken kämpfen.

Einige Leute schlugen aus dieser Situation gleich geschäftstüchtig Profit und vermieteten in Parks oder unter Brücken Schlafplätze an Bedürftige. Für mich brachte das wieder nur Vorteile: kostenloses Essen kirchlicher Sozialdienste und letztlich sogar ein Haus als Unterkunft. Zwar verbrachte ich die erste Zeit wie viele andere auch an verschiedenen Plätzen, unter Brücken, im Park, in Ruinen. Aber später entschloss ich mich, zusammen mit anderen Flüchtlingen ein Haus zu besetzen. Während der Zeit nach dem Beben verließen viele griechische Familien ihre Wohnungen und flohen aufs Land zu Verwandten. Andere wurden aus Sicherheitsgründen aus ihren Häusern evakuiert, die daraufhin von den städtischen Ordnungshütern verschlossen und mit einem roten, polizeilichen Siegel versehen wurden. In die Mauer eines solchen Hauses in der Megalos-Alexandros-Straße schlugen wir ein Loch und richteten uns in einer beinahe leeren Wohnung häuslich ein. Sie war zwar ziemlich zerstört und ohne Strom, aber immerhin gab es ein Klo und eine Küche. Mehrere Male wurden wir von der Polizei erwischt und hinausgeworfen, aber wir kehrten immer wieder dorthin zurück.

Ich blieb nur kurze Zeit in Athen und ging dann nach Patras. Dort wimmelte es von Flüchtlingen, die darauf hofften, ungesehen in einen der unzähligen Lastwagen zu gelangen und mit ihm illegal auf ein Schiff Richtung Italien. Doch wieder war mein Unglücksbringer an meiner Seite. Es war Abend. Ich lag im Park zusammen mit einer großen Gruppe anderer Flüchtlinge, die aus den verschiedensten asiatischen und afrikanischen Ländern stammten. Schaute sehnsüchtig auf die Schiffe und das Meer und träumte von dem Tag, an dem auch ich in einen dieser Ozeanriesen gelangen würde. Plötzlich stand eines der Schiffe in Flammen. Feuerwehr, Polizei und Presse waren sofort zur

Stelle. Man sprach von zwanzig Toten, alles irakische Kurden. Sie hatten sich in mehreren Lastwagen versteckt, als das Feuer ausbrach. Der Grund war angeblich eine Zigarette. Am nächsten Tag verjagte die Polizei alle Flüchtlinge aus dem Hafengebiet. Keiner durfte mehr in die Nähe der Mauer. Die Kurden organisierten eine Demonstration auf den Straßen und verlangten ein richtiges Begräbnis für die Toten. Die Stadtverwaltung gab ihrer Forderung nach. Einige Tage darauf schritten wir auf dem Friedhof hinter den Särgen her. Einer der Flüchtlinge wandte sich mir zu und lächelte traurig: »Schau, der Tote hier! Er ist mein Freund. Wir sind aus demselben Dorf. Jetzt hat er endlich Ruhe gefunden und dazu noch einen schönen schwarzen Anzug. Zu Lebzeiten hat er nie so einen gehabt.«

Ich antwortete nicht, ging missmutig weg und dachte: Alles nur meine Schuld!

Nach diesem Vorfall war es verdammt schwer, aus Patras wegzukommen und nach Italien überzusetzen. Es dauerte Monate, bis ich es endlich geschafft hatte. Ich überlege immer noch, wie man sich in so einer tragischen Situation entschuldigt. Denn wahrlich, ich muss eine ganze Menge Menschen um Verzeihung bitten, aber daran will ich lieber nicht denken. Ist doch Schicksal, oder nicht?

Ich gelangte nach Italien und brachte weder Erdbeben noch Skandale mit. Dank der italienischen Polizei, die keine Lust hatte, jeden Einzelnen zu kontrollieren, konnte ich ganz bequem in Bari über die Hafenumzäunung springen und schließlich in Bozen landen, kurz vor der italienisch-österreichischen Grenze. Am Bahnhof hatte sich bereits eine Ansammlung anderer Flüchtlinge einquartiert. Neben einem Fotoautomaten ergatterte ich einen Schlafplatz. Man erzählte mir, mit dem Zug oder einem Lastwagen sei der Weg nach Deutschland schnell und einfach. Ich freute mich. Doch noch am selben Abend tauchte ein Schlepper auf mit der unerfreulichen Nachricht: »Es gibt keinen Weg mehr. Der Schnee hat viele Straßen versperrt, und die Polizei ist überall in Österreich und Deutschland unterwegs. Wir müssen also ein paar Tage warten.« Aus diesen paar Tagen ist fast ein Monat geworden, in dem ich meine Zeit damit verbrachte, mir Vorhaltungen zu machen: Du Pechvogel, du Unglücksrabe! Immerhin musste ich mich nicht bei den Einheimischen entschuldigen, denn in diesem Fall waren ja nicht sie von diesem Unglück betroffen.

Ich kam in Deutschland an. Die Unannehmlichkeiten waren weniger tragisch. Keine wirklichen Probleme, nur kleinere, wenn auch lästige! Die Deutschen warfen ihre Mark über Bord und handelten sich den Euro ein. Daraufhin wurde alles teurer im Land. Ein neues Zuwanderungsgesetz wurde erlassen, was den Asylbewerbern und Flüchtlingen das Leben nicht leichter machte. Rechts- und Linksparteien bildeten eine Koalition, so dass man am Ende gar nicht mehr wusste, wo nun eigentlich rechts und links war. Trotzdem beschlich mich nie das Gefühl, an irgendetwas in diesem Land Schuld zu haben.

Ich blieb hier und begann, an der Uni zu studieren. Aber dann wurde es doch noch dramatisch. Plötzlich hatte irgendein Politiker die Idee, die Staatskasse aus dem Geldbeutel der Studierenden aufzubessern, und die Unis verlangten bis zu fünfhundert Euro Studiengebühr pro Semester. Da beschloss ich, mich bei meinen Kommilitonen und Kommilitoninnen zu entschuldigen:

»Es tut mir leid!«

»Was?«

»Das mit der Studiengebühr.«

»Wieso Studiengebühr? Was ist damit?«

»Das ist alles wegen meines Vogels.«

»Vogel? Du hast wohl einen! Bist du jetzt ganz durchgedreht, oder was?«

»Nein, ich meine doch einen anderen Vogel!«

»Welchen denn?«

»Einen Vogel, der die Erde irgendwann verwüsten und zerstören wird.«

»Du spinnst wohl. Was meinst du damit?«

»Na ja, ein Unglücksvogel eben, der vor Kurzem Deutschland erreicht hat.«

»Ist das wieder eines deiner arabischen Märchen?«

»Ja, es ist ein echtes arabisches Märchen: die tausendundzweite Nacht.«

8
Wiederkehr der Gesichter

Die Iraker, oder genauer die Babylonier waren die Erfinder der Astronomie. Sie bauten sogar das erste Teleskop der Menschheitsgeschichte. Parallel dazu aber entstand eine andere Art von Sternenlehre, nämlich die Astrologie. Damals wie heute gehört die Sterndeuterei zu den Lieblingsbeschäftigungen der Bewohner des Zweistromlands. Auch die Frauen meiner Familie zeigten sich dieser Wissenschaft in keinster Weise abgeneigt. Viele einfache Menschen sahen in den Sternen mehr als nur leuchtende Punkte am Himmelszelt. Sie schrieben ihnen eine schicksalsbestimmende Bedeutung zu. Demnach gibt es Sterne, die entweder schlechte oder gute Tage mit sich bringen. Im mittelalterlichen Bagdad entwickelte man sogar ein System, das die Sterne genauestens differenzierte und ordnete. Dieses komplizierte System, das auch meine Mutter bis zur Vollkommenheit beherrschte, beinhaltet folgende Tatsache: Es gibt Menschen, deren ganzes Leben von den Sternen hell erleuchtet wird. Sie sind gesegnet mit Macht und Erfolg. Auf der anderen Seite gibt es aber auch Menschen, deren Leben gänzlich im Schatten der Sterne verläuft, egal, welche Anstrengungen sie auch unternehmen. Sie werden ihr Leben lang vom Schicksal gebeutelt.

Die neuere irakische Geschichte scheint im Schatten der Sterne zu verlaufen. In Wahrheit aber wird sie nicht von den Sternen der Astrologie geleitet, sondern von ganz anderen Sternen. Sternen auf den Schulterklappen der Generäle, diese militärischen Ungeheuer, die den vom Schicksal Gebeutelten einen Unglücksraben nach dem anderen aufs Dach gesetzt haben.

Auch mein Leben wurde durch diese Sorte von Sternen in meiner Heimat ruiniert, wo mich ausschließlich Kriege, Rebellionen und andere Katastrophen begleiteten, die mich letztendlich auf eine lange, schier unerträgliche Reise schickten. Ich wechselte die Städte Asiens, Afrikas und Europas wie andere Leute ihre Hemden und versuchte, in jedem neuen Land und jeder neuen Stadt neue Wurzeln zu schlagen. Doch immer wieder kam der Tag oder vielmehr der Stern, der mich meist aus den seltsamsten Gründen zu einer neuen Flucht zwang.

Was aber bedeutet das alles? All die Kriege, Rebellionen, Katastrophen und unmenschlichen Strapazen der Flucht, die Schultersternschicksale, die mein Leben bestimmten? Sind es nur einzelne Begebenheiten einer unendlichen, spannenden Geschichte, die man hinter sich bringt wie eine Kinderkrankheit? Oder bleibt da etwas anderes, etwas Unbeschreibliches und Rätselhaftes im Innern zurück? Ein Friedhof von Erinnerungen an eine Heerschar von Albträumen und Toten? Ja, genau so ein Friedhof verwandelte auch mein Leben in eine Hölle, der Friedhof, den mir die Sterne bestimmten.

Von diesem Friedhof wollte ich mich immer befreien, aber immer wieder stiegen aus ihm jene Gesichter empor, die mich zum leidenden Christus werden ließen – oder vielleicht noch erbärmlicher, wie ich schon vor einigen Jahren dichtete: »Jesus fuhr auf in den Himmel, ich aber hänge noch immer am Kreuz.« Immer wieder diese Gesichter, nicht nur in meinen Träumen. Gesichter von Verwandten und Freunden, die dem Krieg zum Opfer fielen, die im Gefängnis oder auf der Flucht ihr Leben verloren. Leichen ohne Ende, mehr als Haare auf meinem Kopf! Mehrere Male habe ich versucht, mit einem Psychiater darüber zu reden. Doch jedes Mal endete das mit einer Schachtel Tabletten, die mir helfen sollten, ruhiger zu schlafen. Aber wenn ich den Arzt dann über die Gesichter befragte, die überall auf den Straßen zu mir sprachen, kam nichts oder bestenfalls eine kindlich naive Antwort, die mich mitsamt meinen Gesichtern noch Tage später zum Lachen brachte.

Diese Gesichter brachten nicht nur mich an die Grenze des Wahnsinns, sondern auch mein Leben an den Rand der Erträglichkeit. Sie erschienen nacheinander in verschiedenen Gruppierungen, als hätten sie sich abgesprochen. Jede dieser Gruppen versuchte, Erinnerungen in mir zu wecken, die ich am liebsten dem ewigen Schlaf überlassen hätte. So tauchten vor Kurzem die Gesichter von Fadhel und Aga auf, umrahmt von einer Menge anderer Gesichter, inmitten eines tiefen, unendlichen Gewässers.

Fadhel war Iraker, ein guter Freund, den ich in Benghazi kennengelernt hatte. Er hatte Anglistik studiert und interessierte sich besonders für Mythen. Sein größter Wunsch war, nach Australien zu gehen, um dort seine Magisterarbeit über den Turm von Babel zu schreiben. Doch während seiner illegalen Seefahrt zum fünften und kleinsten Kontinent der Erde wurde er von den unendlichen Weiten des Ozeans gepackt und verschlungen. Im Gegensatz zu Fadhel war Aga ein einfacher Bursche, der nur den ganz kleinen Traum hegte, in Dänemark oder Schweden mit einer ganz großen Blonden zu schlafen. Er war Iraker oder Perser oder keins von beidem, so genau wusste er das selbst nicht. Während des Iran-Irak-Krieges, als er noch Kind war, wurde seine Familie in den Iran abgeschoben, weil die irakische Regierung seine Familie als Perser und somit als rassisch unreine Iraker betrachtete und entsprechend behandelte, obwohl sie seit dem 19. Jahrhundert im Irak ansässig war. Im Iran aber galten sie in umgekehrter Weise als Iraker und somit wiederum persisch unrein – rassisch gesehen. Aus diesem paradoxen Dilemma gab es nur einen Ausweg. Und so traf ich Aga in der Türkei, als er versuchte, gemeinsam mit mir und einigen anderen Flüchtlingen illegal nach Griechenland zu gelangen. Doch die gewaltigen Wassermassen des Ebrus rissen ihn mit sich. Ob er in den Tiefen des Flusses endlich eine Heimat gefunden hat? Sein und Fadhels Gesicht besuchten mich oft und raunten mir zu: »Das Leben ist wie Wasser, das man nicht mit der Hand greifen und festhalten kann. Du kannst nur mittendurch tauchen.«

Auch das Gesicht von Alla schaute häufig bei mir vorbei, im Schlepptau eine Reihe anderer Gesichter. Alla kannte ich aus Jordanien. Mitglied einer schiitischen Partei, floh er aus dem Irak, weil man diese dort verboten hatte. Im Ausland aber wollte er nichts mehr mit Politik zu tun haben. Wollte nur noch seine Ruhe und in Frieden leben. Er versuchte dann, illegal von Jordanien nach Frankreich zu kommen. Alles, was er sich in Jordanien hart erarbeitet hatte, ungefähr neuntausend Dollar, gab er einem Schlepper, der ihm einen französischen Reisepass besorgte. Am Flughafen wurde er verhaftet. Er verbrachte eine kurze Zeit im Gefängnis und sollte dann in den Irak abgeschoben werden. Eines Nachts fanden sie ihn in seiner Zelle – tot. Er hatte seinen Kopf immer wieder gegen die Wand geschlagen, bis er umfiel. Allas Gesicht sprach zu mir: »Das Leben ist wie eine Wand. Du musst mit dem Kopf dagegen schlagen, um zu verstehen, was die Wahrheit ist.«

Gesichter und wieder Gesichter: Gesichter, die im Gefängnis starben, Gesichter, die im Krieg gefallen waren, Gesichter, die vermisst wurden. Gesichter, die dem Wahnsinn verfielen, wie zum Beispiel das Gesicht von Mustafa. Auch er war aus dem Irak nach Libyen geflohen. In Tripolis hatte er eine Stelle als Lehrer für Chemie. Und dann kam der Tag, an dem er einfach verrückt wurde. Er bildete sich ein, er würde vom irakischen Geheimdienst verfolgt und bald umgebracht. Er zweifelte an allen seinen Freunden und machte ihnen das Leben zur Hölle. »Du Verräter, du Spion! Du arbeitest für den Geheimdienst.« Eines Tages verprügelte er sogar seinen Vorgesetzten, den Direktor des Instituts für Technik, weil er felsenfest davon überzeugt war, dieser sei ein Schnüffler der irakischen Regierung und wolle ihn ausspionieren. Seitdem lebt er im Irrenhaus. Vor einigen Jahren erschien mir sein Gesicht. Ich verstand sofort, dass er gestorben war. Auch sein Gesicht wurde von einer Reihe anderer Gesichter begleitet. Er verlor kein einziges Wort, sondern schaute mich nur an, als sei ich ein Geist. Ich weiß nicht warum, aber wahrscheinlich hat er mir früher schon einmal erzählt, was er mir sagen wollte, und ich habe es nur nicht verstanden.

Auch das Gesicht von Zahir kam zu mir. Oh, Zahir! Wir begegneten uns zum ersten Mal in Berlin. Er war bereits ein alter Mann, fast sechzig Jahre, sah aber aus wie achtzig. 1979 hatte er zusammen mit seiner Frau den Irak verlassen, als die Regierung die Kommunistische Partei abschaffte und deren Mitglieder verfolgte und ermordete. Zahir lebte danach in Ostberlin und zog nach dem Mauerfall in den Westteil der Stadt. Irgendwie lebte er nie in der Gegenwart, die Vergangenheit hielt ihn fest umschlungen. Als wir uns in einem arabischen Café in Kreuzberg trafen, sprach er nur vom Irak der Siebzigerjahre. »Das haben wir gemacht« und »damals war« und »das waren doch die schönsten Jahre«. Von den momentanen Zuständen hatte er keine Ahnung, und er wollte auch keine haben. Er sprach mit mir über die kommunistischen Werte, die den Irak retten sollten. Erst wollte ich ihn aufklären, wie es um die frühere kommunistische Partei im Irak von heute stand, wie nur noch ein paar alte Männer und Frauen übrig geblieben waren, die nach so vielen Jahren fast niemand mehr kannte. Entschied mich dann aber doch, ihn in seinen Träumen schwelgen zu lassen.

Zahirs Frau erzählte mir einmal, im Schlafzimmer stehe seit 1979 sein gepackter Koffer für eine baldige Rückkehr in den Irak, dessen Inhalt er regelmäßig auf seine Vollständigkeit überprüfe. Als 2003 der Krieg begann, rief er mich voller Freude an und verkündete stolz: »Bald werde ich in den Irak fliegen!« Am 9. April fiel die große Statue Saddams auf dem Al-Firdos-Platz. Am selben Tag rief ich bei ihm zu Hause an. Am anderen Ende der

Leitung die Stimme seiner Frau: »Zahir hat sein ganzes Leben auf diesen Moment gewartet. Er hat es nicht geschafft, ihn auch zu erleben. Gestern ist er gestorben. Herzinfarkt!« Zahirs Gesicht hatte ein Wort des Trostes für mich: »Die schönsten Wege sind die, die ihr Ziel nicht erreichen.«

Vor geraumer Zeit besuchten mich die Gesichter von Salim und Hasne, die ich schon fast vergessen hatte. Salims Gesicht tröstete mich: »Im Krieg sind wir alle nur verlorene Federn.« Hasnes Gesicht ergänzte: »Wir, die Mütter, sind der Schmuck der Trauer und ihr Lippenstift.« Ich erinnere mich wieder genau an Hasne und Salim. Es war in den ersten Tagen des Irak-Iran-Krieges. Ich war noch ein Kind. Einige Mitglieder der Al-Baath-Partei, Polizisten und ein paar aus dem Sicherheitsdienst brachten Salim eines Tages in den Pausenhof unserer Grundschule. Dort haben sie ihn vor den Augen aller Schüler erschossen, weil er sich geweigert hatte, an die Front zu gehen. Der Direktor unserer Schule verkündete vollmundig: »Schaut her, Kinder! So muss man mit Verrätern und Feiglingen umgehen.« Dieser Salim war gerade mal zwanzig Jahre alt und ein friedliebender, umgänglicher Bursche. Er war der einzige Sohn von Hasne, der Blinden, die den ganzen Tag hinter dem Fenster ihres Hauses saß und Sonnenblumenkerne, Kaugummis und Pepsi-Cola an die Kinder verkaufte. Trotz ihrer Blindheit konnte sie mühelos die Geldstücke ertasten. Nach der Hinrichtung ihres Sohnes verfiel sie in abgrundtiefe Traurigkeit. Einen Monat später starb auch sie.

Im Sommer 2006 stürmten neue Gesichter auf mich ein, die mich unbedingt mit sich nehmen wollten. Alle vorherigen hatten das nicht versucht, die neuen dafür umso heftiger. Diese neuen Gesichter waren die von Karima, Saber, Basem und Sumeia. Sie sind so eng mit meinem Schicksal verwoben, dass sie in meinem Blut schwimmen. Oh Gott, das ist eine lange, lange

Geschichte! Wo soll ich da anfangen? Am besten beginne ich mit dem Wahrsager.

Ich war gerade siebzehn, als ich mit meinem zwei Jahre jüngeren Bruder Mohamed und unserem Nachbarjungen Galil zu einem Wahrsager ging. Das erste und letzte Mal in meinem Leben wollte ich mir von einem Wahrsager die Zukunft vorhersagen lassen. Und dieses eine Mal war auch genug. Mohamed und Galil vernahmen ihre Zukunft aus dem Mund dieses alten Mannes, der nicht mehr als einen Meter maß. Er prophezeite beiden eine großartige, erfolgreiche Karriere als Ingenieure. Dann wandte er sich an mich:

»Bist du sicher, dass du unbedingt auch willst?«

»Ja, warum nicht?«

»Aber mein Sohn! Glaub an Gott und nicht ans Wahrsagen!«

Ich dachte, er mache einen Scherz.

»Ich will aber!«

Er wartete ein Weilchen, schaute sich nach links und rechts um und sprach dann leise:

»Also gut, dann hör zu: Das ist dein Schicksal. Du wirst in deinem ganzen Leben nie Ruhe haben. Du wirst ins Gefängnis gehen. Dann fliehst du weit weg. Du bleibst immer unterwegs. Du wirst viele Gefängnisse auf dieser Erde von innen kennenlernen. Du reist und reist ohne Ende. Dann lebst du weit weg in einem anderen Land, du heiratest und bekommst ein Kind. Dann verlässt du deine Familie und gehst weg. Du reist weiter. Du bist ein fleißiger Mensch, mein Sohn, aber das wird dir nichts nützen, weil dein Stern am Himmel kein leuchtender Stern ist. Deswegen wirst du immer ein Verlierer bleiben. Am Ende, wenn du fünfunddreißig Jahre alt wirst, lebst du mit den Pennern auf der Straße und stirbst allein in einem fremden Land, auf einem trostlosen Bahnsteig. Das ist dein Schicksal.«

Mohamed ist heute ein erfolgreicher Elektroingenieur in Bagdad, Galil ebenso. Und mein Leben? Ich verschwendete zunächst keinen Gedanken mehr an diese Prophezeiung. Aber als ich das erste Mal im Gefängnis landete, dachte ich an den alten Mann und seine Worte. In der Zwischenzeit habe ich mein Todesjahr erreicht; um mit den Worten meines Bruders Mohamed zu sprechen: »Dir bleibt nicht mehr allzu viel Zeit!« Mein Problem mit dieser Prophezeiung ist: Alles, was er für mein Leben vorausgesagt hat, ist auch tatsächlich eingetreten; außer der Sache mit dem Kind. Aber wer weiß das schon so genau. Vielleicht gibt es doch irgendwo eine Frau, die mir nicht alles erzählt hat …

Eigentlich wollte ich immer ein Kind haben, aber ich hatte auch immer eine Heidenangst, es könne mich umbringen. Ja, ich muss zugeben, ich fürchte mich wirklich davor, demnächst zu sterben. Und dabei stelle ich mir immer vor, im Jahr meines Todes nur zu Hause zu sitzen, Fenster und Türen verrammelt, und nichts Besonderes zu tun. Aber einen kleinen Funken Hoffnung hege ich doch noch, denn der Wahrsager hat etwas sehr Wichtiges vergessen. Die Gesichter in meinem Leben, und nicht zuletzt die neuen. Er wusste eben doch nicht alles, auch wenn er so tat, als ob. Meine neue Geschichte ist gleichzeitig auch die Geschichte der Gesichter meiner Schicksale.

Sie fing an, da war ich noch nicht einmal zwanzig Jahre alt. 1991, nach dem zweiten Golfkrieg, begann ein neues Kapitel der irakischen Geschichte: Schiiten im Süden und Kurden im Norden gingen auf die Straße, protestierten gegen die Regierung. Daraus entflammte ein Widerstand, der wie ein Flächenbrand um sich griff. Viele irakische Städte fielen in die Hände der Opposition. Es blieben nur noch Bagdad und einige Orte, die der Familie oder vielmehr dem Stamm des Diktators angehörten. In Bagdad wartete alles darauf, dass die Kurden aus dem Norden und die Schiiten aus dem Süden nach Bagdad marschieren. Es gingen Gerüchte, sie seien bereits unterwegs. Aber sie ließen lange auf sich warten, zu lange. Deshalb versuchten die Menschen in Bagdad, besonders die Schiiten aus unserem Viertel A'Thaura und dem Viertel A'Schaale, Widerstand zu leisten wie die Schiiten im Süden und die Kurden im Norden. Doch sie ernteten nichts als Tod, Trauer und Armut.

Kurze Zeit später fielen irakische Truppen über das Land her und verwandelten die Städte im Norden und die Städte im Süden in traurige Ruinenlandschaften. Die ganze Welt hat dabei zugeschaut, als handle es sich bei den Irakern um Hühner, die man ohne jegliche moralische Schuldgefühle abschlachten könne und dürfe. Überall Leichen auf den Straßen und Trauer in jedem zerstörten Haus. Und warum? Dieses Fragewort ließ meine Jugend zur Hölle fahren. Warum und nochmals warum? In der Schule geriet ich in Kreise, die mit geheimen und verbotenen Parteien, Kommunisten, Religiösen und Patrioten zusammenarbeiteten. Sie sprachen über den Verrat der toleranten Weltmächte, die Saddam erlaubt hatten, den Aufstand mit Raketen und Bomben niederzuschlagen. Eigentlich war es nicht schwer zu verstehen, dass die Al-Baath-Partei und ihr Führer Saddam die Unglück bringenden Raben für die Iraker waren.

Seit dem Erscheinen des neuen Präsidenten Saddam veränderte sich in Bagdad alles. Der Basar, der nur einige Meter von unserem Haus entfernt lag, war in den Tagen, in denen der alte Präsident beseitigt worden war, fast menschenleer. Bilder und Fotos des neuen Präsidenten hingen plötzlich überall in unserem Viertel herum: mit dichtem Schnurrbart und Uniform, mit Turban und Gewand, mit einer Zigarette, mit seiner Tochter, mit Bauarbeitern oder mit einer Gruppe peinlich sauberer Schulkinder. Auch mein Vater schleppte ein riesiges Bild mit goldenem Rahmen nach Hause, auf dem der große Diktator sitzend, mit einem ebenfalls goldenen Schwert zu sehen war.

»Was ist denn das?«, fragte meine Mutter neugierig.

Mein Vater antwortete nur abfällig grinsend:

»Halt's Maul, und häng das Bild auf. Ich will keinen Ton hören!«

Dasselbe Bild hängte der Schuldirektor über das Eingangsschild der »Sinai Grundschule für Jungen und Mädchen«, damit es jeder sehen konnte, der die Schule betrat. Auch in jeder Klasse wurde über der Tafel ein Bild angebracht, auf dem der Präsident, bekleidet mit einer milchfarbenen Dischdasche, einem rot-weiß gepunkteten Schal und einem Turban auf dem Kopf, väterlich lächelte.

Und durch die Straßen spazierte nun das Dämonenweib, das kleine Kinder stiehlt. Obwohl man es nicht sehen konnte, wusste jeder: Es war schon da. Alle starrten es durch die Fenster an, besonders die Mütter. Gebete und Weihrauch durchströmten die Straßen, als träte das Viertel in ein neues Leben ein, in dem alles in Frage gestellt wird. Meine Mutter zweifelte nicht daran, das Dämonenweib komme möglicherweise aus Waschbecken oder Wasserhähnen. Deswegen trug sie in jenen Tagen immer den Koran mit sich herum, auch wenn sie zur Toilette ging. Sie verteilte jede Menge Amulette im Haus. Eine Gipshand mit grünen Glasstückchen und aufgemalten Augen, mit Koranversen versehen, hängte sie im Gästezimmer über den Fernseher. Eine grüne Sandale, ebenfalls aus Gips, zierte die Wand über der Eingangstür, damit jeder, der sich dem Haus näherte, von ihr getreten werde. Über der Tür des Gästezimmers auf der anderen Seite des Hofes befestigte sie ein schwarz-blaues Metallauge. Damals wurde auch mindestens vier Mal am Tag Weihrauch angezündet und häufig im Koran gelesen. Meine Schwestern Karima und Farah saßen jeden Abend mit meiner Mutter beisammen und rezitierten unzählige Male den Thronvers, um das Böse zu verjagen:

»Allah! Es gibt keinen Gott außer Ihm, dem Lebendigen, dem Beständigen! Ihn überkommt weder Schlummer noch Schlaf. Sein ist, was in den Himmeln und was auf Erden ist. Wer ist es, der da Fürsprache bei Ihm einlegte ohne Seine Erlaubnis? Er weiß, was zwischen ihren Händen ist und was hinter ihnen liegt. Doch sie begreifen nichts von Seinem Wissen, außer was Er will. Weit reicht Sein Thron über die Himmel und die Erde, und es fällt Ihm nicht schwer, beide zu bewahren. Und Er ist der Hohe, der Erhabene.«

Ich bekam auch ein neues Amulett zu meinem alten, das ich seit meiner Kindheit als Halskette trage. Das neue war, wie auch das alte schon, aus grünem Stoff gewebt. Ich weiß nicht, was der Gebetsrufer des Viertels darauf geschrieben hatte und wo ich beide am selben Tag verlor.

Die Jungen des Viertels gingen morgens mit khakifarbener Kleidung aus dem Haus, manchmal trugen sie eine Waffe bei sich oder fuhren in khakifarbenen Wagen vorüber. In ihren Autos kamen Männer ins Viertel, mit dichten Schnurrbärten und weißen, harten, rotbackigen Gesichtern, wie sie die Einwohner noch nie gesehen hatten. Sie standen immer vor der Schule herum und gingen dann mit meinem Vater oder anderen Männern der Al-Baath-Partei unseres Viertels weg, die ich nicht genau kannte. In einem Klassenzimmer der Sinai-Schule, das der Partei als Büro zur Verfügung gestellt worden war, saßen sie stundenlang beisammen, bevor sie dann mit ihren schönen, neuen, weißen Autos wieder abfuhren. Mein Vater und seine Freunde winkten ihnen nach, und aus ihren Augen leuchtete eine unendliche Freude.

Seltsame Dinge begannen ihr Unwesen zu treiben. Nachts patrouillierte auffallend viel Polizei auf den Straßen, und es ging das Gerücht, einige Burschen aus benachbarten Stadtteilen seien plötzlich verschwunden. Es wurden viele seltsame Dinge erzählt, aber meine Mutter hatte nur Angst vor dem Dämonenweib.

»Es hat nun Kinder!«

»Wer?«

»Das Dämonenweib!«

»Wenn es nur das Dämonenweib wäre, dann wäre alles in Ordnung!«, seufzte meine Schwester Karima.

Unbekannte Männer füllten plötzlich unser Viertel. Sie trugen Pistolen und Gewehre. Alles hatte sich verändert. Danach oder genauer nach der Hinrichtung von Salim, dem Sohn von Hasne, kam ein weiterer Fluch über die Stadt. Viele Gefallene kehrten in einem Sarg von der Front zurück. Auch meine Brüder mussten zum Militär wie viele junge Männer im Viertel, und mein Vater wie alle alten Männer zur Volksarmee. Die Volksarmisten waren wirklich zum Lachen. Sie trugen gestreifte Gewänder und alte Waffen und jedes Mal, bevor man ihre Bäuche um eine Ecke kommen sah, konnte man bereits ihr heiseres Hüsteln vernehmen. Mein Vater musste ein Mal pro Woche Wachdienst schieben, was ihn jedes Mal wieder dazu veranlasste, sich für besonders wichtig und staatstragend zu halten. Meine Mutter dagegen wurde mit Kriegsbeginn ein sehr trauriges Wesen. In den Fernsehnachrichten verfolgte sie die Kämpfe an der Front. Innerhalb kürzester Zeit kannte sie sämtliche Namen der Armeekorps an allen Teilen der Front auswendig und besonders diejenigen, in denen meine Brüder stationiert waren. Freitagnachmittags teilte sie ihr Wissen mit den Nachbarinnen und diskutierte die Kriegslage. Aber als der erste Leichenzug kam, schlug sie sich mit den Händen ins Gesicht, schrie und verfiel einige Tage in einen krankheitsähnlichen Zustand. Dem ersten Leichenzug folgten viele weitere, alle mit der Nationalflagge geschmückt. Fast täglich ein neuer Sarg. Es ist nicht übertrieben zu behaupten, der Name Bagdad sei nicht mehr angebracht gewesen, besser dagegen der Name Madinat Al-Dschetheth – Stadt der Leichen.

Ich hatte wahrlich genug Gründe, die Mitglieder der Al-Baath-Partei als Unglück bringende Raben zu bezeichnen. Aber das hat niemandem geholfen, auch nicht mir selbst. Ich arbeitete zwei Jahre mit verbotenen Parteien zusammen. War zwar nirgends Mitglied, half aber, wo und wie ich nur konnte. Verteilte Plakate, geheime Briefe, gefälschte Dokumente. Und versuchte, auch die jungen Männer unseres Viertels, zum Mitmachen zu überreden. Vor allem aus Wut, aber auch ein bisschen aus Naivität. Ich hatte keinen blassen Schimmer, was ich da riskierte. Wusste nur, ich wollte gegen diese Raben arbeiten. Heute denke ich oft an diese Dummheit, die mein ganzes Leben verändert hat. Aber jedes Mal denke ich auch: Wenn die Geschichte sich wiederholt, werde ich möglicherweise wieder so handeln.

Nach zwei Jahren, im März, hörte ich, die Polizei habe Qasim festgenommen. Qasim war Tischler und arbeitete in einer schiitischen Partei, und ich kannte ihn sehr gut, ja, ich hatte sogar schon für ihn gearbeitet. Wir waren ein Jahr zusammen in derselben Klasse im Gymnasium gewesen. Ich verteilte einmal für ihn ein Flugblatt mit der Aufschrift »Unser Ziel ist die Befreiung«. Qasim wurde nach einigen Monaten hingerichtet. Ich bekam Angst, fürchtete aber nicht, Qasim könne meinen Namen erwähnt haben. Außerdem hatte ich nie das Gefühl, ich könne jemals im Gefängnis landen. Ich versuchte in dieser Zeit nicht daran zu denken, was mit Qasim geschehen war, und hörte auf, mich mit den jungen Männern zu treffen.

Zur selben Zeit bekam unsere große Familie Zuwachs. Es war Saber, das Kind meiner Schwester Karima und meines Freundes Sadiq. Karima war Lehrerin und Sadiq Dozent für Literatur an der Bagdader Universität. Sie waren sozusagen meine eigentliche Familie. Bei ihnen verbrachte ich den größten Teil meiner Freizeit. Mit Sadiq verband mich eine tiefe Freundschaft. Wir lasen zusammen Werke, welche die Regierung verboten hatte, und hörten Musik, von der Regierung als Sünde deklariert. Drei Monate nach Sabers Geburt aber fand ich mich im Gefängnis wieder.

Qasim hatte mich in der Tat nicht verraten. Es war ein anderer Häftling, der Qasim, mich und viele andere kannte. Er hatte eine Menge Namen ausgeplaudert. Die Polizei sammelte daraufhin Ende November desselben Jahres einundvierzig Personen ein. Der unsere Namen verraten hatte, arbeitete ein Jahr für die Polizei als Spitzel, bevor er schließlich – wie ich später erfuhr – in den Iran floh. Nach Saddams Sturz entdeckte ich ihn im irakischen Fernsehen wieder. In den Medien dort wurde er als Kämpfer und Politiker gefeiert. Im Iran, und auch jetzt im Irak, hat er es zu einer wichtigen politischen Position gebracht. Sein Gesicht ist täglich im irakischen Fernsehen. Seine Fratze an riesigen Plakatwänden auf den Straßen.

Im Gefängnis gab es weder Himmels- noch Erdenwege. Nur Mauern, Hunger, Läuse, Folter und Foltergeräte, Ratten, Häftlinge, Gespenster, Wärter, Polizeirichter, Feuchtigkeit, Hautkrankheiten, Angst, Überlebenskämpfe … Viele meiner Freunde starben unter der Folter oder am Hunger, und bis heute begleiten mich ihre traurigen Gesichter. Ich aber habe irgendwie überlebt. Es dauerte lange, doch irgendwann wurde ich entlassen.

Einen Tag nach meiner Entlassung meinte Karima zu mir:

»Das Gesicht des Kindes hat keine gute Strahlung in unser Leben gebracht.«

»Warum?«

»Es hat dich ins Gefängnis geschickt. Es kam bestimmt unter einem schlechten Stern auf die Welt.«

»Das ist Aberglaube. Red keinen Schwachsinn!«

Ein bisschen mulmig wurde mir aber doch. Natürlich konnte es nicht sein, dass Saber ein schlechtes Schicksal mitbrachte. Eigentlich interessierte ich mich in dieser Zeit weniger für abergläubischen Schicksalskram als vielmehr dafür, wie ich möglichst schnell und weit aus dem Irak wegkommen konnte. Trotzdem beunruhigten mich die Worte des Wahrsagers ungemein, weil er ja tatsächlich vorhergesagt hatte, dass ich den Irak verlassen würde. Und in diesem Fall behielt er Recht.

Kurz bevor ich aus dem Irak floh, wurde Karima erneut schwanger, mit ihrem zweiten Sohn Basem. Genau zwei Monate nach seiner Geburt ergab sich für mich die Möglichkeit, nach Jordanien zu kommen. Am Telefon lachte meine Schwester aus Bagdad: »Basem hat einen guten Fußtritt. Er hat dich weit weg geschickt! Er wurde unter einem guten Stern geboren!«

»Du bist verrückt!«, entgegnete ich ihr aus Amman. Sie lachte und lachte und konnte kaum mehr damit aufhören.

Aber die Flucht nach Jordanien war eigentlich eine Flucht in die zweite Hölle. Diejenigen Iraker, die in westliche Staaten fliehen konnten, fanden wenigstens Sicherheit für Leib und Leben. In den arabischen Nachbarländern, wie eben Jordanien, war das Leben kaum anders als zu Hause unter Saddam. Nicht nur, weil dort fast dieselbe Art von Diktatur herrschte, sondern auch, weil viele arabische Völker glaubten, Saddam sei ein Held und ein Symbol für den Zusammenhalt der arabischen Nationen und ihrer Macht. Deswegen betrachteten sie die Exiliraker, insbesondere die Oppositionellen, als Verräter. Infolgedessen lebten die irakischen Exilanten in Elend und Angst, auch vor ihren eigenen Landsleuten. Denn in den arabischen Nachbarstaaten trieben zur damaligen Zeit unzählige Spione und Angehörige des irakischen Geheimdienstes ihr Unwesen.

Ich erinnere mich, dass in Jordanien während der Neunzigerjahre ein ungeschriebenes Gesetz existierte, wonach jeder Iraker in seine Heimat abgeschoben wurde, wenn ein Jordanier ihn wegen irgendeines Vergehens anklagte. Deshalb verschwanden plötzlich viele irakische Oppositionelle, die auch im Exil weiterhin politisch aktiv waren. Aber auch völlig unpolitische Menschen, die eigentlich nur in Ruhe leben wollten, waren auf einmal nicht mehr da.

Wohin konnte man überhaupt noch fliehen? Damals gab es

nur noch wenige Länder, in die ein normalsterblicher Iraker reisen durfte. Zudem erteilte kein einziger westlicher Staat einem Iraker ein Visum, und auf illegalen Wegen nach Westen zu gelangen, kostete rund zehntausend Dollar. Woher sollte ich so viel Geld nehmen? Also ging ich nach Libyen.

In Libyen lebte ich wie ein Penner, hatte hier und da mal Arbeit, mal hier mal dort einen Schlafplatz. Nach etwa einem Jahr in diesem sandigen, tristen Land kam Karima samt ihrer Familie nach Libyen. Auch sie hatten die Nase voll vom Irak und versuchten ebenfalls, einen neuen Anfang zu finden. Sie fanden eine Wohnung in Misde, einem Städtchen in der Wüste, oder anders ausgedrückt: am Arsch der Welt.

Für mich war das Exil so um einiges erträglicher. Obwohl ich in verschiedenen anderen Städten arbeitete, die manchmal zwischen fünfhundert und tausend Kilometern von Misde entfernt lagen, reiste ich zwei Mal im Monat zu ihnen und verbrachte die Zeit mit den Kindern. Karima kochte ihre besten Gerichte, extra für mich, und erzählte mir die Neuigkeiten, die sie von befreundeten Frauen erfuhr. Ich liebte ihre Art zu erzählen, ihre ganz besondere Art von Leidenschaft. Da sie den ganzen Tag zu Hause saß und ihre Kinder hütete und somit kein besonders abwechslungsreiches Leben führte, gelang es ihr meisterhaft, jeder noch so nichtigen Banalität Spannung und Wichtigkeit zu verleihen. Ich nenne diese Fähigkeit die Fantasie der arabischen Hausfrauen.

Sadiq, der als Dozent für Literatur am Institut für Lehrerbildung in Misde arbeitete, besorgte zuverlässig die neuesten Bücher für mich. Mit ihm konnte ich immer die interessantesten Themen diskutieren, über die nicht jeder in diesem öden arabischen Sandmeer reden wollte oder konnte. Mein Neffe Basem war mir sehr ähnlich. Er sagte immer, er wolle auch Dichter werden, wie sein Onkel. Bei allen Irakern, die im selben Viertel lebten, war er bald bekannt und beliebt. Er hatte ein unglaubliches Talent, Menschen nachzuahmen, und bescherte uns so viele heitere und unbeschwerte Stunden, in denen wir all das Elend um uns herum für kurze Zeit vergessen konnten. Saber dagegen kam mehr nach seinem Vater. Er war ruhiger, ernster und sah aus wie ein Intellektueller. In der Schule bekam er immer die besten Noten und stellte manchmal Fragen, die ich erst nach eingehender Überlegung begriff und beantworten konnte. Karimas Familie war meine Oase in der Sahara, meine Ersatzheimat.

Nach drei Jahren erfuhr ich von Karimas erneuter Schwangerschaft. Sadiq scherzte:

»Schauen wir mal, wohin es dieses Mal geht!«

»Hoffentlich nicht nach Afrika!«

»Aber da sind wir doch schon!«

Für mich war das auch schon egal. Ich lebte mitten in der Wüste, was kann da noch passieren! Das dritte Kind war ein Mädchen: Sumeia. »Endlich ein Mädchen!«, freuten wir uns alle. Drei Monate nach ihrer Geburt war ich gezwungen, Afrika zu verlassen und allein in Richtung Europa zu ziehen. Mein Reisepass wurde bald ungültig. Und ohne gültigen Reisepass in der Wüste zu leben, war kein guter Einfall.

Am Ende meiner langen Reise landete ich in Deutschland, in München. Karima schrieb mir: »Auch unsere Sumeia hat einen guten Fußtritt. Du bist in Deutschland. Endlich hast du einen guten Stern getroffen. Du kannst nun deine Ruhe finden. Sumeia aber verdient ein germanisches Geschenk von dir!« Ich schrieb zurück: »Bitte keine Kinder mehr. Das vierte schickt mich wahrscheinlich ins Grab. Und dein neuer Stern bekommt bald sein germanisches Geschenk.«

Viele Jahre sind vergangen. Der Irak wurde in der Zwischenzeit ein weiteres Mal vom Krieg heimgesucht, das diktatorische Regime Saddams wurde zerstört und eine neue Regierung unter amerikanischer Besatzung errichtet. Karima und ihre Familie kehrten in den Irak zurück. Wieder einmal träumten sie von einem neuen Anfang. Karima bekam sehr rasch eine Stelle als Schulrätin, Sadiq als Dozent an der Universität. Trotzdem fanden sie keine Ruhe. Eine andere, neuartige Form von Krieg starrte sie an. Die alten Anhänger der Al-Baath-Partei, arabische Nationalisten, die benachbarten arabischen Diktaturen, islamische Gruppen, die Iraner, die Türken, verschiedene irakische Volksgruppen, die Amerikaner und ihre Verbündeten und viele andere mehr verwandelten die Straßen Bagdads und einer Menge anderer irakischer Städte in eine flammende Hölle aus Anschlägen, Bombardements und Straßenkämpfen. Irak glich einem Stadion, in dem jede Mannschaft ihren Kampf und ihr Spiel gewinnen wollte. Und so gab es wieder einmal unzählige Leichen in jeder Ecke und jedem Loch dieses vom Unheil überschwemmten Landes.

»Die Sterne wollen sich nicht ändern«, kommentierte Karima die Lage des Irak. Sadiq trug sich mit dem Gedanken, wieder ins Exil zu gehen. Stattdessen aber griff er zum Telefon.

»Deine Schwester ist schon wieder schwanger!«

»Was?«

»Es war ein Versehen. Wir haben gestritten, und sie ist bei ihrer Familie.«

»Wieso? Warum habt ihr gestritten?«

»Ich will dieses Kind nicht. Was mache ich mit ihm in diesem Chaos?«

»Keine Ahnung! Und was meint Karima?«

»Sie will es.«

»Ich rede mit ihr und höre, was sie sagt.«

Karima wollte das Kind, und Sadiq war gezwungen, es hinzunehmen. Ich in Deutschland aber zitterte und dachte insgeheim: »Wohin wird mich nun dieses Kind schicken?« Der Junge wurde geboren und bekam den Namen Ayad. Sein Fußtritt war nicht so heftig. Er schickte mich nur von München nach Berlin. Die Münchner Universität verlangte wieder einmal einen Haufen Papierkram, wie das so üblich ist in Bayern. Berlin dagegen erteilte mir gänzlich unkompliziert die Zulassung zum Studienkolleg, einem obligatorischen Vorbereitungskurs für Ausländer auf das Studium. So ging ich eben für ein Jahr nach Berlin.

Früher kehrte ich nie zum selben Punkt zurück. Ich ging immer weiter, immer, wenn mir eines von Karimas Kindern einen kräftigen Tritt verpasst hatte. Dieses Mal aber kehrte ich nach München zurück, um endlich mein richtiges Studium aufzunehmen. Doch wer hätte schon ahnen können, welch tragischen Schlag diese Rückkehr nach sich ziehen sollte!

Ende August erreichte mich die Nachricht durch die arabische Onlinepresse: »Karima Hamid, Schwester des irakischen Schriftstellers Rasul Hamid, Frau des irakischen Literaturkritikers Sadiq Hasan, und drei ihrer Kinder, Saber, Basem und Sumeia, wurden durch einen terroristischen Anschlag in Bagdad getötet. Die Überlebenden, der Ehemann und das jüngste Kind Ayad, wurden schwer verletzt.«

Am Telefon konnte ich nicht viel erfahren: »Bombe vor dem Haus« und »Wer?« und »Warum?«. Keiner wusste Genaueres. Die Polizei meinte achselzuckend: »Unbekannte terroristische Organisation.« Ich habe unzählige schlimme Zeiten durchlebt, aber das war zu viel. Ich muss zugeben, ich konnte und wollte es nicht glauben. Als mich aber ihre Gesichter zum ersten Mal besuchten, verstand ich, dass sie nicht mehr zu den Lebenden gehörten. Ihre Gesichter, blass und traurig wie alle leidenden Gesichter, sind zurzeit meine ständigen Begleiter. Sie erzählen nicht viel, nur, dass sie mich vermissen. Karimas Gesicht aber gab mir neue Rätsel auf.

»Wir haben das Schicksal und die Sterne verändert.«

»Wie?«

»Ganz einfach. Saber ist fünfzehn, Basem zwölf und Sumeia acht Jahre alt. Das macht fünfunddreißig.«

»Und was bedeutet das?«

»Das sind die fünfunddreißig Jahre, die dir dein Wahrsager prophezeit hat!«

»Ich verstehe nicht!«

»Das musst du auch nicht.«

Nach diesem Gespräch wollte Karimas Gesicht nichts mehr sagen. Sie schaute mich nur an wie die anderen auch. Seit diese neuen Gesichter zu mir gekommen sind, habe ich meine Meinung über das Sterben geändert. Angst habe ich nicht mehr. Ich werde, wenn der Tod kommt, alle Fenster und Türen meiner Wohnung öffnen und darauf warten, ihn wie eine Geliebte zu umarmen. Um mit den neuen Gesichtern gehen zu können, zur ewigen Ruhe. Ich habe nun wirklich keine Angst mehr vor dem Lebensjahr, in dem ich sterben soll. Im Gegenteil, ich freue mich sogar darauf. Wenigstens wird es das erste Mal in meinem Leben sein, wo nicht ich verliere und weine, sondern wo ich verloren gehe und meinetwegen geweint wird. Das Wichtigste aber ist: Keine Gesichter werden mich mehr heimsuchen und in den Wahnsinn treiben. Möglicherweise werde ich selbst ein Gesicht sein und jemand anders besuchen.

Doch wenn ich Karimas Worte richtig verstanden habe, werde ich wohl doch nicht mit fünfunddreißig sterben müssen. Trotzdem will ich noch ein besonderes Ziel in meinem Leben erreichen, und ich bitte alle Sterne, mir die Zeit dazu zu geben. Ich will meine Geschichte endlich zu Ende schreiben. Von den Gesichtern über die Wunder bis zur Geburt – oder umgekehrt. Der Leitsatz steht als Widmung schon fest:

> »Für die, die eine Sekunde vor dem Tod
> noch von zwei Flügeln träumen.«

II

18.14 Uhr. Das kindliche Lächeln meiner Freundin Sophie erwartet mich auf dem Bahnsteig des Münchner Hauptbahnhofs. Ihre Augen leuchten auf, als sie mich sieht. Die Hände erhoben, winkt sie zur Begrüßung. Nach der aufwühlenden Reise bin ich froh, sie wiederzusehen. Eine innige Umarmung. Wir steigen gleich in ihr Auto.

Ob ich ihr erzählen soll, was ich während meiner Reise erlebt habe? Ich meine die Sache mit dem Manuskript. Aber was soll ich sagen? Dass ich ein Manuskript gefunden habe, in dem meine eigene Geschichte zu finden ist, geschrieben von einem Fremden namens Rasul Hamid? Und auf dem Umschlag weder Adresse noch Telefonnummer? Soll ich ihr erzählen, ich hätte einen Geist kennengelernt, der Rasul heißt? Alles wohl mehr als unrealistisch, ja sogar lächerlich. Der kategorische Imperativ »Geh doch bitte endlich mal zu einem Psychiater!« schellt mir schon in den Ohren.

Schließlich, nach dem Abendessen, entschuldige ich mich und bitte sie, mich eine Weile allein zu lassen. Ich bin unendlich müde ...

Ich lege mich auf die Couch und denke an das, was ich auf meiner Reise erlebt habe. Ein schrecklicher Albtraum. Was soll das alles? Wie kann es sein, dass einer einfach meine Geschichte aufgeschrieben und in einem Umschlag ausgerechnet neben mir abgelegt hat? Wenn einer meine Geschichte gestohlen hat, wieso hat er sie dann ausgerechnet mir zukommen lassen? Und die vielen Einzelheiten aus meinem Leben, die außer mir niemand kennen kann. Wie ist er dazu gekommen? Sogar die

Schrift gleicht meiner bis aufs letzte Pünktchen. So klein und fast unleserlich, und dazu auch noch mit Bleistift. Er hat nur ein paar Namen und Beschreibungen einiger Ereignisse verändert. Das ist aber ohne Bedeutung. Es bleibt meine Geschichte und nur meine. Und dann auch noch die Idee, der Aufbau, die Struktur der Erzählung. Genau mein Stil. Wie hat er das nur aus meinem Kopf gestohlen? Ich habe doch niemandem davon erzählt. Gut, viele haben von meinem Vorhaben gewusst, ein Buch über mein Leben zu schreiben. Aber die genaue Art und Weise war niemandem bekannt gewesen, bis vor Kurzem nicht einmal mir selbst. Ich habe lange gegrübelt. Immer wieder habe ich versucht, eine Form zu finden, bei der man jederzeit und überall mit dem Lesen anfangen kann. Jedes Kapitel ein Anfang und zugleich ein Ende. Jedes eine eigene Einheit und doch unverzichtbarer Teil eines Ganzen. Alles in einem Werk vereint: Roman, Kurzgeschichte, Biografie und Märchen … Das war doch verdammt noch mal meine und nur meine Idee! Und jetzt taucht da wieder einer der vielen Dämonen in meinem Leben auf und will mir alles nehmen: mein Leben, meine Idee, ja sogar meine Seele?

Schon lange hegte ich den Wunsch, meine Fahrt auf dem Geisterschiff, meine Odyssee, niederzuschreiben. Nie habe ich es geschafft. Immer wieder, seit mindestens fünf Jahren, versuchte ich einen Anfang. Und immer wieder hörte ich auf, weil ich nicht überzeugt war, weil mir die Erzählstruktur fehlte, weil ich einfach nicht zufrieden war. Ich wusste immer genau, was ich schreiben wollte, aber eben nicht wie! Vor knapp einem Jahr aber hatte ich die zündende Idee, doch mir fehlte die Zeit sie auch umzusetzen. Also muss ich doch froh sein, dass mir das ein anderer abgenommen hat! Hauptsache ist schließlich, dass ich nun meine Geschichte fertig aufgeschrieben in Händen halte, oder etwa nicht? Ich will nur noch schlafen …

Die Sonne scheint ins Zimmer. Sophie küsst mich und flüstert mir ins Ohr: »Wach auf, Habibi, wunderbares Wetter da draußen. Denk dran, du wolltest doch heute dein Buch an den Verlag schicken! Steh auf!«

Ich schaue durch das Fenster auf das grüne Laubwerk der Bäume und höre die Vögel. Fast eine Idylle.

»Wirklich, was für ein schöner Tag!« Ich stehe auf, dusche und mache mich auf den Weg zur Universität. Zuerst besuche ich eine Vorlesung und gehe dann in den Computerraum, um die Nachrichten zu lesen. Mittags ins Café an der Uni. In letzter Zeit eine lieb gewonnene Gewohnheit, in einem Café zu sitzen, zu lesen, zu schreiben oder ganz einfach Menschen zu beobachten.

Alles leer. Für einen Moment das Gefühl, in dieser Stadt mutterseelenallein zu sein. Die Menschen sind verschwunden, oder genauer, niemals da gewesen. Alles leer. Alles hell und sauber. Keine Studenten, keine Autos oder Busse, kein Brunnen am Geschwister-Scholl-Platz, kein Universitätsgebäude mehr. Nichts, nur ich und die breite, leere Ludwigstraße, das große Nichts um mich herum. Wo bin ich eigentlich? Was mache ich hier? Wo sind die anderen? Solche Fragen wirbeln durch meinen Kopf wie Trommeln auf einem afrikanischen Fest. Alles leer wie eine endlose Wüste, nackte Berge oder klares Wasser. Aber auch unheimlich wie der Wald nach einem gewaltigen Gewitter. Und meine Fragen laut und dennoch leise, tönend und dennoch stimmlos.

Nach einer Weile komme ich wieder zu mir. Wieder einmal habe ich jegliche Orientierung in meinem Kopf verloren. Aber, Gott sei Dank, mein Blick über die Ludwigstraße, ohne Begleitung einer afrikanischen Trommel: Wieder alles da, das alte Unigebäude, die Autos, die Studenten …

Ich schaue mich etwas genauer um. Die Mädchen und Jungen, die Damen und Herren, sie alle im Sommer ständig in

Bewegung. Schlendern genießerisch die Ludwigstraße entlang, dann weiter die Leopoldstraße bis rauf zur Münchner Freiheit. Und in den Straßencafés kaum ein freier Platz. Überall Tauben und Spatzen. Einige haben sogar ihre Nester in den Ecken unter den Dachschrägen der majestätischen Gebäude entlang der Schwabinger Prachtallee gebaut. Eine männliche Taube verführt gerade eine weibliche. Das Männchen breitet seine Flügel aus, zieht sie hinter sich auf dem Boden her, schwänzelt um das Weibchen herum und flirtet mit ihm: »Bak, bak, bak, buk«. Das Weibchen stolziert vor ihm auf und ab wie eine Königin, mit hoch erhobenem Kopf. Mal bewegt es sich langsam, mal wieder schnell, was das Männchen besonders heißmacht. Nicht weit entfernt von der männlichen Taube versucht ein Student gerade, ein Mädchen anzumachen. Die so Umworbene lächelt, und er schwänzelt tapfer um sie herum. Sie marschiert geradewegs Richtung Eingang zur U-Bahn, er blindlings hinterher. Quer über die Straße brüllt hektisch winkend ein anderer Student: »Jonas, warte auf mich!«

Ich betrete das Café und setze mich an einen freien Tisch. Verstaue meinen Rucksack zwischen meinen Füßen. Lege ein Heft, ein Buch, eine Schachtel Zigaretten und ein Feuerzeug auf den Tisch und zünde mir eine Zigarette an …

14.16 Uhr. Ich öffne meinen Rucksack und lege einen leeren Umschlag auf den Tisch. Ein paar Leute gehen hinaus, andere kommen herein. Eine Frau mit zwei halbwüchsigen Kindern setzt sich an den Nachbartisch. Sie wechseln kein Wort miteinander. Das Mädchen lässt sich per Kopfhörer mit Musik aus einem winzigen MP3-Player berieseln. Der Junge daneben schaltet sein Notebook ein. Die Frau hält ihr Handy ans Ohr. Endlich erscheint die Kellnerin. Sie ist jung, zwischen achtzehn und zwanzig. Haare rot gefärbt, sie trägt eine Jeans und ein weißes T-Shirt mit dem Schriftzug »Sexy Girl«. Darunter zeichnet sich ein kleiner, fester Busen ab. Ich bestelle einen großen Kaffee und ein Glas Leitungswasser.

14.45 Uhr. Ich öffne meinen Rucksack, nehme das Manuskript heraus, stecke es in den leeren Umschlag und mache den Umschlag zu.

btb

Abbas Khider

Die Orangen des Präsidenten

Roman. 160 Seiten
ISBN 978-3-442-74461-9

Meine Mutter weinte, wenn sie sehr glücklich war. Sie
nannte diesen Widerspruch »Glückstränen«. Mein Vater
dagegen war ein überaus fröhlicher Mensch, der überhaupt
nicht weinen konnte. Und ihr Kind? Ich erfand eine neue,
melancholische Art des Lachens. Man könnte es als »Trauer-
lachen« bezeichnen. Diese Entdeckung machte ich, als mich
das Regime packte und in Ketten warf.

**»Ein starker, ein bewegender Text,
ein Augen öffnendes Buch.«**
Denis Scheck, druckfrisch

www.btb-verlag.de